ES HORA DE VER A JESUS

ALEJANDRO BULLÓN

APIA

ASOCIACIÓN PUBLICADORA INTERAMERICANA
2905 NW 87th Avenue, Doral, Florida 33172, EE.UU.
Tel. (305) 599-0037 Fax (305) 592-8999
mail@iadpa.org – www.iadpa.org

Presidente	**Pablo Perla**
Dirección Editorial	**Francesc X. Gelabert**
Vicepresidente de Producción	**Daniel Medina**
Vicepresidenta de Atención al Cliente	**Ana L. Rodríguez**
Vicepresidenta de Finanzas	**Elizabeth Christian**

Edición del texto: Miguel Á. Valdivia
Diseño de portada: Ideyo Alomía
Diseño de interiores: Alfredo Campechano

Salvo que se indique otra cosa, todas las citas de la Biblia
ha sido tomadas de la revisión de 1960
de la Reina-Valera de las Sociedades Bíblicas Unidas.

ISBN 10: 1-57554-507-1
ISBN 13: 978-1-57554-507-3

Impreso por Pacific Press Publishing Association
Boise, Idaho

Impreso en EE.UU. / *Printed in USA*

Contenido

PRÓLOGO

La llegada de un nuevo milenio ha creado un clima de ansiedad y expectativa entre los seres humanos. Todos se preguntan qué va a suceder. El panorama mundial es sombrío. Existen guerras, violencia y egoísmo individual y colectivo que consume a las naciones, familias y personas. Nadie se siente seguro de nada. Hemos aprendido a desconfiar de todos. El hombre moderno tiene miedo. Miedo del pasado, del presente y del futuro. Miedo de ser y de existir. Miedo de los que lo rodean y hasta de sí mismo.

¿Cuál es el futuro que nos aguarda? ¿Será este planeta invadido por seres extraterrestres? ¿Será alcanzado por un asteroide perdido en el espacio? ¿Será destruido por el egoísmo y voracidad del propio ser humano? ¿Existe esperanza para el hombre de nuestros días?

El propósito de este libro es mostrar que cuando todo parece oscuro, todavía existe esperanza para los que creen en Cristo Jesús.

La noche puede ser oscura. La historia de este mundo puede estar llegando al fin. Pueden haber momentos en los que te sientas solo y abandonado, perdido en el universo, como una estrella sin rumbo. El frío de la indiferencia o el fuego de la traición pueden herir tus sentimientos y apagar tu fe en el ser humano, pero a pesar de todo eso, todavía hay esperanza.

Cuando todo parece perdido, cuando el matrimonio se está haciendo pedazos, en la hora de la angustia, en medio de las lágrimas y tristezas de la vida, es hora de ver a Jesús como la única esperanza. El es el único capaz de entrar sigilosamente por los pasillos de la conciencia humana y poner orden y armonía en un universo arruinado por el pecado.

Es hora de ver a Jesús volviendo en gloria para poner punto final a la historia de lágrimas, dolor y muerte que perturba a la humanidad. No hay otro camino. No existe otra solución. Las intenciones humanas han fracasado. El hombre se ha hundido cada vez más en la arena movediza de sus propias confusiones. Jesucristo es la única salida y mientras el hombre moderno sea capaz de verlo y conocerlo, todavía hay esperanza.

Alejandro Bullón

Capítulo 1

CUANDO EL HOGAR ESTÁ DESHECHO

Qué hacer cuando el matrimonio parece haber terminado? ¿A dónde ir cuando las tentativas por salvarlo son inútiles? ¿A quién pedir ayuda cuando el sueño se transforma en pesadilla?

El evangelista San Juan relata un incidente en la vida de Cristo que con certeza es el secreto para edificar hogares felices. Este incidente se vuelve actual porque nunca en la historia de la humanidad, la familia se ha visto tan amenazada como hoy. Los jóvenes llegan al casamiento escondiendo dentro de la manga la posibilidad del divorcio.

Constantemente dialogo con personas heridas cuyos hogares fracasaron. Son personas que un día entraron en una iglesia, delante de amigos y familiares, para declarar públicamente que se amaban. Todo parecía un sueño; el vestido de novia, los padrinos y las damas de honor. La iglesia adornada con flores, la música de la orquesta y el brillo de los ojos fueron un marco inolvidable.

Pero de repente, casi sin percibirlo, el sueño se convierte en pesadilla. Peleas y muchas veces indiferencia, se tornan cotidianas. Los pasos siguientes son la desconfianza, la infidelidad y la traición. Finalmente todo acaba en divorcio.

Las estadísticas son crueles. Dicen que de cada 100 casamientos, 45 terminan en divorcio. Quedan 55, de los cuales 40 no se separan porque les falta valor para enfrentar una separación. Están juntos por la presión social, financiera, religiosa o familiar, viviendo bajo el mismo techo, pero entre ellos sólo existe incomprensión e indiferencia. De los 15 restantes, 10 son más o menos felices y apenas 5 afirman que son verdaderamente felices.

Hay algo más sorprendente en las estadísticas. Estas indican que esos 100 matrimonios se realizaron porque los novios querían ser realmente felices. Por lo tanto, ante los números, tenemos que llegar a la conclusión de que para ser feliz en el matrimonio, no basta querer serlo, porque si de eso dependiese, las 100 parejas lo serían.

Además, por lo menos 95 de esas 100 parejas se casaron amándose mucho. Se aman tanto que muchas veces van en contra de los consejos de los padres y de seres queridos. Aquí nuevamente, ante los catastróficos resultados mostrados por las estadísticas, llegamos a la conclusión de que para ser feliz en el matrimonio, no basta que los novios se amen mucho, pues si de eso dependiese, al menos 95 de esas parejas serían felices.

¿Qué debe hacerse entonces para edificar matrimonios felices y duraderos? El relato bíblico que mencionamos nos da el secreto. El texto afirma que hubo un casamiento en Caná de Galilea al cual Jesús y sus discípulos fueron invitados. Felices son los hogares que invitan a Jesús para que esté presente en su experiencia de la vida diaria. En realidad, para que un matrimonio sea feliz no se precisa solamente de una mujer y un hombre. Es necesaria una tercera persona: Jesús. Solamente él es capaz de quitar del amor humano la mancha miserable del egoísmo que lo corrompe todo.

Esto puede parecer duro, pero desafortunadamente, nuestro amor humano, por más puro y limpio que parezca, es egoísta. ¿Quieres ejemplos? Un hombre afirma que ama a su esposa, pero un día descubre que ella le fue infiel y el amor se acaba. El padre declara que daría la vida por su hijo, pero un día el hijo golpea el rostro de su padre, y éste le muestra la puerta de la calle. Así es el amor humano; sólo da cuando recibe. Es algo inconsciente, pero está entretejido en la estructura humana y solamente Jesús es capaz de darle al hombre un corazón que ame como él amó.

Analiza por ejemplo la vida de un personaje imaginario que llamaremos Sebastián. A los 20 años conoce a una bonita joven de 18. Es linda, con ojos hermosos, piel suave, cabellos bien cuidados, labios llenos de vida y cuerpo atractivo. Sebastián siente que la ama. Haría cualquier cosa por hacerla feliz. Es sincero y cree que su amor es puro. Se decide y pide su mano para casarse.

Los años pasan. Vienen los hijos. Ahora ella tiene 48 años y él tiene 50. La belleza y los atractivos de la juventud se fueron. El cuerpo de ella ya no tiene más esa forma de sirena, y la piel ya no es tan suave. Carga hoy las marcas implacables del tiempo y de la vida consagrada a su marido y a sus hijos.

Un día, Sebastián conoce una joven de 25 años, bonita, de piel suave y cuerpo atractivo. De repente comienza a sentirse atraído por ella. Tal vez al principio luche contra este sentimiento, pero finalmente llega a la conclusión: "yo amo a esta joven". Entonces le declara su amor: "te amo tanto que estoy dispuesto a terminar con un matrimonio de 30 años por ti". Y tal vez sea sincero, pero esto no es sino amor humano. En el fondo, lleva siempre la mancha del egoísmo.

Por eso, en las bodas de Caná, los novios tuvieron la brillante idea de invitar a Jesús para que estuviese presente en sus vidas. Estaban iniciando su matrimonio de la única manera que una relación puede sobrevivir: entregando el control de todo a Aquel que nunca falla.

A estas alturas surge una pregunta. ¿La presencia de Jesús en el casamiento es garantía de que nunca habrá dificultades? ¿Puede la embarcación del matrimonio que tiene a Jesús como piloto, atravesar un mar tempestuoso? ¿Pueden existir momentos en que parezca que el barco va a naufragar? ¿Puede faltar algo dentro de la familia en la que Jesús está presente?

Mira lo que el texto bíblico afirma: "De repente el vino se acabó". En aquellos tiempos, el vino era símbolo de alegría y de abundancia. No se podía imaginar una fiesta sin amigos y sin vino. Si por ventura alguien ofrecía una fiesta en la que el vino se acababa, la familia pasaba una vergüenza sin medida. Pero el texto afirma que en aquella fiesta donde Jesús estaba presente: "el vino se acabó".

¿Sabes? La presencia de Jesús en la vida de una pareja no la libera de sus responsabilidades. Cuando una pareja se une en el sagrado estado del matrimonio, cada uno llega trayendo su personalidad, su cultura y su propia historia. El matrimonio es una escuela donde los alumnos nunca se gradúan. Es un aprendizaje continuo. Es un estado de crecimiento que incluye renuncia, buena voluntad, compañerismo, perdón y muchas veces lágrimas. Es un proceso de adaptación que lleva tiempo. En ese proceso, muchas veces "se acaba el vino", puede haber momentos críticos, puede hasta darse la impresión de que la embarcación va a naufragar. Pero, si Jesús está presente, tú sabes a dónde ir. Esa es la gran diferencia. Problemas, todo el mundo los tiene. Las pequeñas crisis son hasta necesarias en todo proceso de adaptación, pero cuando Jesús es invitado al acto del casamiento, con toda seguridad, él sabrá llevar a la familia a puerto seguro.

Generalmente, la primera gran crisis aparece a los 4 ó 5 años de casados. Cuando el primer hijo nace, todas las atenciones de la pareja son dedicadas a él e inconscientemente, ambos comienzan a olvidar la atención y el amor que se deben el uno al otro.

Ninguna planta puede crecer saludablemente si no es regada y cuidada con regularidad. Lo mismo sucede con el matrimonio. No hay manera de que sobreviva si no se lo alimenta día a día. ¿Dónde está Jesús en todo esto? Es simple: una pareja que tiene a Jesús en su corazón, encuentra tiempo para la devoción y la oración. Es literalmente imposible no amarse uno a otro, cuando se ama a esa tercera persona que es Jesús. Una familia que no tiene a Cristo, generalmente pasa años sin reunirse para discutir sus propios problemas y dificultades. No me refiero a reuniones sociales para comer y reír juntos. Hablo de reuniones donde los miembros de la familia pueden abrir su corazón y expresar sus sentimientos.

Pensemos ahora en la actitud de los presentes en las bodas de Caná cuando descubrieron que faltaba vino. ¿Acaso no estaba presente Jesús? ¿Por qué no fueron a él directamente? No sé, pero sucede que a lo largo de la historia el ser humano siempre ha actuado de esa forma. El texto bíblico deja implícito que algunos buscaron a la madre de Jesús y le pidieron ayuda. Aquí se introduce la magnífica persona de la santa Virgen María. Por algún motivo, muchas personas, e incluso algunas que estudian la Biblia, tratan con irreverencia y desconsideración a la madre de Jesús. Creen que fue una mujer común como cualquier otra. Eso no es verdad. Dios no pudo haber escogido a cualquier mujer para ser la madre de su Hijo. La virgen María vivía una experiencia diaria de comunión con Dios. Qué bueno sería si hoy los hombres y las mujeres aprendiéramos a vivir como ella. ¿Acaso no predicamos sobre Juan, Pedro y otros personajes santos de la Biblia? ¿Por qué no predicamos acerca de María?

Por otro lado, existe algo delicado que debemos aprender del incidente de Caná. Por más santa y maravillosa que haya sido María, no tenía poder para resolver el problema que aquella familia estaba enfrentando. Por eso, buscó a Jesús y colocó el problema en las manos del Hijo de Dios.

Millones y millones de personas invocan hoy el nombre de la santa Virgen María esperando un milagro de ella. Son personas buenas y sinceras que en momentos de extrema necesidad claman por ayuda. Si la Virgen María estuviera viva hoy, con certeza haría lo mismo que hizo en Caná. Diría a estas personas: "hijos, gracias por confiar en mí, soy un ser humano que vive una vida especial de comunión con Dios, pero no dejo de ser humana. Yo conozco a alguien, sin embargo, que es divino y podrá solucionar sus problemas", y los llevaría a Jesús.

Por más respeto y reverencia que todos debemos a la Virgen María, nuestra esperanza de salvación no puede ser depositada en ella. ¿Sabes por qué? Deja que ella misma lo diga en la oración registrada en el Evangelio de San Lucas: "Engrandece mi alma al Señor, y mi espíritu se regocija en Dios mi Salvador" (S. Lucas 1:46-47). ¿Cómo podía salvar a alguien si ella misma necesitaba de un salvador? "Pero, pastor —dirás—, yo no estoy depositando mi salvación en ella, sólo creo que puede ser mi mediadora". Entonces escucha lo que el apóstol Pablo escribió a Timoteo: "Porque hay un solo Dios, y un solo mediador entre Dios y los hombres, Jesucristo hombre" (1 Timoteo 2:4).

Personalmente siento amor, reverencia y admiración por la Virgen María. Creo que su vida fue una inspiración para las mujeres cristianas a lo largo de la historia y creo que su instrucción fue clara en las bodas de Caná de Galilea, porque llevó a las personas a Jesús y les dijo: "hagan como él les diga".

Este consejo maravilloso de la santa Virgen María no es fácil de obedecer. Desde el Jardín del Edén, el ser humano tuvo que luchar con su espíritu de independencia. Al ser humano le gusta vivir solo. Puede estar rodeado de millares de personas, pero le gusta hacer lo que cree, siente o quiere. Por lo tanto, hacer todo lo que Jesús pide no es lógico, ni humano, sino que tiene que ser divino, resultado de la obra de Dios en el corazón, un milagro que en el lenguaje espiritual se llama conversión.

Millones de matrimonios fracasan hoy porque el corazón de sus miembros no pasó aún por este milagro divino, y en consecuencia, Jesús no controla los sentimientos ni las actitudes. Cuando el "vino falta", el ser humano no sabe qué hacer ni a quién pedir ayuda. Un consejero matrimonial, un psicoterapeuta o un psicoanalista, una segunda luna de miel, una casa nueva, un auto o valiosas joyas, pueden ser paliativos que aplacen la muerte definitiva del matrimonio, pero en tanto que el corazón de cada miembro de la pareja no sea transformado, nada será capaz de salvar esa relación.

Conocí a Joana y a André con su hogar casi deshecho. André era un hombre mujeriego y no escondía sus aventuras extramaritales a la sufrida Joana. Algunas veces invitaba a sus amigos en noches de sábado y organizaba noches de sexo en las cuales Joana era obligada a participar. Cuando Joana habló conmigo, estaba decidida a huir llevándose a sus dos pequeños hijos. "Es el único camino que me queda o moriré asfixiada", dijo. Después continuó: "cuando no conocía el Evangelio, de alguna manera conseguía convivir con esa situación, pero ahora que conozco a Jesús, no acepto más este tipo de vida".

Ese fin de semana, ella habló conmigo nuevamente. "El está aquí, pastor" —me dijo con alegría—. "Espero que el Espíritu de Dios toque el corazón de mi esposo". Y así fue. El mensaje de aquella noche golpeó como un martillo el corazón de André. La esposa vio lágrimas en los ojos de su marido. En el momento del llamado ella fue hacia el frente para abrazar a su esposo, quien fue uno de los primeros en levantarse para aceptar a Jesús.

Pasaron muchos años, y un día, al salir de un estadio después de una noche evangelística, Joana y André me abrazaron emocionados. Me hicieron recordar cuando los conocí. Me contaron que sus hijos, ahora adolescentes, estudiaban en uno de nuestros internados y que uno de ellos quería ser pastor.

No pude decirles mucho esa noche. Había mucha gente alrededor. Pero salí de allí con un nudo en la garganta y con palabras de gratitud por aquel matrimonio salvado por la gracia de Jesús.

Sí, mi amigo, hoy más que nunca es hora de mirar a Jesús cuando el matrimonio está deshecho, cuando la familia está desintegrada y cuando padres e hijos no pueden ni siquiera dialogar.

El texto bíblico termina diciendo que el vino que Jesús proveyó fue mucho mejor y más sabroso que el primer vino que se había acabado. Esto es extraordinario. Si tú aún no has aceptado a Jesús, ni siquiera puedes imaginar lo que él tiene reservado para ti.

Todo el "vino" que ya has experimentado en tu vida no es nada comparado con la felicidad, la armonía en el hogar y la paz que Jesús tiene reservadas para ti y para los tuyos.

El enemigo generalmente nos ofrece primero el "buen vino". Nos deslumbra. Existe mucho placer aparente esperando por nosotros, pero después nos deja solos, saboreando el vino amargo del peso de la culpa o de las consecuencias terribles de nuestros errores. Con Jesús todo es diferente. El te ofrece primero el vino agrio de las dificultades, luchas y lágrimas que muchas veces significa seguirlo, pero después tiene reservada para ti una vida de armonía familiar, salud, prosperidad en esta tierra y en los cielos, la vida eterna. Por lo tanto, vale la pena seguir a Jesús, vale la pena confiarle a él la dirección de la vida personal y familiar. Tú puedes invitar a Jesús para que guíe tu vida hoy. Y con él siempre tendrás ganancias.

Capítulo 2

CUANDO LOS SUEÑOS SE ACABAN

Sentado en un banco de la plaza, Marcio parecía no percibir que centenares de personas transitaban a esa hora por allí. Un dolor penetrante y una devastadora soledad lo abrumaban. Aquello parecía una pesadilla. Todo fue tan rápido que casi no tuvo tiempo de hacer algo para impedir que todo se desbaratase. La pequeña empresa que prosperaba cada día, la familia maravillosa, la imagen de ciudadano honesto, el hombre confiable, el prestigio, el dinero, todo se esfumó en el espacio de un mes.

Las cosas comenzaron con una simple aventura amorosa, un viaje de "trabajo" con una amante por allí, un descuido financiero por allá. Después vino la traición, la mentira, el engaño y finalmente, el deseo de venganza que acabó en homicidio.

Sentado en la plaza, Marcio pensaba si ahora debía huir o entregarse a la policía. Fueron 15 años de lucha, trabajo y sacrificio para construir un sueño que de repente se hizo mil pedazos y se convirtió en polvo. No atinaba ahora ni a preguntarse cuándo fue que se equivocó, o si tenía fuerzas para comenzar de nuevo.

Cuando lo conocí, acababa de salir de la cárcel en libertad condicional. Se aproximaba a los 50 años y después de haber aceptado a Jesús como su Salvador en la prisión, se mostraba optimista queriendo comenzar una nueva etapa de su vida, recogiendo los pedazos que quedaban de sus sueños pasados.

A lo largo de mi vida he conversado con muchas personas que ven cómo sus sueños se caen como castillos de arena. Son personas que en medio del dolor y las lágrimas no consiguen encontrar una salida. Son asaltadas muchas veces por la idea del suicidio o la fuga, olvidando que esos dos caminos nunca fueron la solución para este tipo de problemas.

En el capítulo 24 del Evangelio de San Lucas encontramos la experiencia de dos discípulos de Jesús que en una noche oscura, se dirigían de Jerusalén a Emaús, sintiendo que no tenían más fuerzas para seguir soñando ni para construir nada. Eran hombres que abandonaron todo para seguir a Jesús. En él estaban cifrados todos sus proyectos futuros. Querían envejecer al lado de él, y formar parte del reino eterno que, según ellos opinaban, Jesús había venido a establecer.

En realidad, ellos confundieron las cosas. Jesús les había dicho: "Mi reino no es de este mundo" (S. Juan 18:36), pero ellos estaban tan entusiasmados con las perspectivas futuras de grandeza, que no consiguieron interpretar las palabras del Maestro.

Durante siglos, el pueblo de Israel permanecía cautivo esperando la venida del gran Maestro que, según ellos, los libertaría del yugo opresor, pero el verdadero problema del pueblo no era físico o político, sino la ceguera espiritual en la cual vivía. Jesús vendría, sí. El Mesías aparecería como los profetas lo anunciaban, pero su obra libertadora iría más allá de la libertad política, el Mesías vendría para libertar al pueblo de la esclavitud del pecado y convertirlos en reflejo del carácter del Creador.

"A lo suyo vino, y los suyos no le recibieron" (S. Juan 1:9), afirma Juan. Pero a pesar de la indiferencia de Israel, Jesús fue aceptado por un pequeño grupo de hombres que fueron sus discípulos. Pero incluso éstos no consiguieron entender el verdadero significado de la venida del Mesías. Al verlo obrando milagros, multiplicando alimentos, curando enfermos y hasta resucitando muertos, pensaban que era cuestión de tiempo y que pronto el Mesías mostraría la verdadera naturaleza de su reino y entonces, sus discípulos serían los que ocuparían los principales cargos del reino que dominaría el mundo.

Soñaban y soñaban en grande. Invirtieron en ese sueño todo lo que poseían. Dejaron casa, trabajo, familia, amigos, todo para seguir a Jesús. El tiempo pasó y cuando parecía que todo estaba listo para el establecimiento del reino, aconteció lo inesperado. Los soldados tomaron preso a Jesús. No. Aquello no podía ser verdad. Pedro sintió que debía hacer algo; tomó su espada y cortó la oreja de uno de los captores, pero el Maestro lo recriminó por eso.

Aquella madrugada, cuando los soldados prendieron a Jesús, todo parecía una horrible pesadilla. Los discípulos no podían creer lo que estaban viendo. Su Maestro estaba preso, llevado en silencio a los tribunales, de un lado para otro, como un delincuente. Después fue golpeado, humillado y clavado en una cruz entre dos ladrones. ¿Te das cuenta? Sueños deshechos. El castillo se derrumbó, y el sábado de mañana comprendieron que no era una pesadilla. Todo era realidad. Su Maestro estaba muerto y enterrado. Los sueños se habían desplomado.

¿Se equivocaron los discípulos al hacer planes para el futuro? No. Estaban en lo correcto. Para que la vida merezca ser vivida es preciso soñar. Por lo tanto, atrévete a soñar en grande. Pues no llegarás más allá de tus sueños. Los animales no tienen la capacidad de soñar, el resultado es que no viven, sino que sobreviven, pasan por la vida, pero no hacen historia. Pero tú eres un ser humano, creado a imagen y semejanza de Dios, dotado de talentos y habilidades, y además, dueño de un cerebro capaz de reconocer los valores morales y espirituales. Por lo tanto, cree y no tengas miedo de soñar.

Sólo que no te atrevas a soñar si no estás dispuesto a pagar el precio de ese sueño, porque todo sueño tiene un precio que te llevará muchas veces a renuncias, sacrificios, compromisos, luchas, sudor, lágrimas y hasta la muerte. Pero no temas, las personas incluso pueden matar al soñador, pero nunca matarán un genuino sueño. El sueño nace en el corazón de alguien y puede pasar de generación en generación hasta hacerse realidad. ¿Quieres un ejemplo? José de San Martín y Simón Bolívar soñaban con una América del Sur libre. Hoy ambos están muertos, pero los países sudamericanos son libres. Los soñadores murieron, pero el sueño vive.

¡Ninguna persona, familia, iglesia, empresa o nación, sobrevivirá si no es capaz de soñar! Se habla hoy de la famosa "visión de futuro". Se escriben libros acerca de eso y con razón, porque es la visión de futuro la que le da sentido a la existencia y nos muestra el destino hacia el cual marchamos y por el cual vivimos.

¿Pero qué hacer cuando se sueña y se paga el precio del sueño y de todas formas, de repente, todo vuela por los aires?

Analicemos entonces la situación de aquellos dos discípulos en aquel domingo de mañana cuando se dirigían de Jerusalén hacia Emaús. Eran apenas 12 km, pero debieron ser los más largos en la vida de esos dos soñadores frustrados. El texto bíblico dice que ellos "iban hablando entre sí de todas aquellas cosas que habían acontecido" (S. Lucas 24:14). ¿Qué había sucedido? Jesús había muerto, sus sueños se habían acabado, los discípulos se habían esparcido, Judas se había ahorcado, Pedro se convirtió en traidor, y los otros se habían escondido de los judíos. A pesar de ser todavía de día, todo parecía oscuro en la vida de esos dos discípulos; sólo se animaban a recordar lo ocurrido y a "comentar entre sí de todas aquellas cosas que habían acontecido".

¿Sabías que sacamos fuerzas del pasado a pesar de nuestra vertiginosa proyección hacia el futuro? Nunca tengas miedo de mirar hacia atrás, especialmente hacia aquello que hiciste mal. Observa tus frustraciones y derrotas.

Todos dicen que debemos olvidar las derrotas y los fracasos y que debemos estar siempre listos para intentar de nuevo. Bien, intentar de nuevo sí, pero dejar de tener en cuenta las derrotas y los fracasos, jamás. Porque en la batalla de la vida gana quien sabe perder, quien sabe capitalizar la derrota, quien no vive lamentándose por algo que no resultó, sino al contrario, enfrenta la derrota sin rencor, sin amargura, analizando e investigando por qué falló.

Si el sueño se derrumbó, atrévete a crear nuevas expectativas y oportunidades. Cada día es un nuevo día. Todo tuyo. Limpio. Abierto y prometedor. Llega con las alas blancas de la esperanza, listas para despegar desde el valle de tus derrotas rumbo al infinito de nuevas realizaciones. Enfrenta cada día sin miedo. Como el águila enfrenta el brillo del sol. Incluso cuando sus pupilas quedan cegadas por la luminosidad del astro, ella siente bullir la sangre en sus venas, abre sus alas y sale, rompiendo el azul del cielo, rumbo a nuevos horizontes.

Si tu sueño se hizo pedazos, esto no cambia las cosas. Un nuevo día está delante de ti. Esto es lo que cuenta. No lamentes los errores del pasado. No huyas de ellos. Enfréntalos. Habla sin miedo sobre aquello que sucedió, por más doloroso que fuere, sabiendo que por más que sientas que estás sólo, no es así.

El texto continúa diciendo: "Sucedió que mientras hablaban y discutían entre sí, Jesús mismo se acercó, y caminaba con ellos" (S. Lucas 24:15). ¡Esto es maravilloso! Aún cuando no lo sientes, Jesús se acerca. El nunca nos abandona. Se preocupa por ti, conoce tus luchas y lágrimas, sabe cuál es el límite de tus fuerzas, lee tu historia y está listo para levantarte de las cenizas y reconstruir tus sueños.

Es una pena que a veces, cuando recordamos el pasado, no lo hacemos con serenidad ni con la intención de sacar lecciones de los errores. Es triste saber que frecuentemente recordamos el pasado con rencor, llenos de pesimismo y autocompasión, culpando a otros, y ese clima que creamos a nuestro alrededor no nos permite ver a Jesús que se aproxima para ayudarnos. La historia bíblica dice que "los ojos de ellos estaban velados, para que no le conociesen" (S. Lucas 24:16).

Betty se enamoró de un joven con el cual se escribió cartas por varios meses mientras él estaba en prisión, pagando una condena por errores cometidos en el pasado. Pero Betty estaba sola en este noviazgo, porque nadie de su familia ni entre sus amigos aprobaban aquella relación. El problema no era el pasado del joven. Creo que todo el mundo debe tener una nueva oportunidad en la vida. El problema era su carácter. La mentira parecía ser una conducta aceptable en su vida. Estaba en prisión por fraude. Y su comportamiento actual evidenciaba que no había cambiado. Su concepto de la vida era muy liviano, no tenía ningún compromiso con la verdad.

Todos se daban cuenta de eso, menos Betty. Fue aconsejada, advertida y hasta reprendida por sus padres y amigos, pero nada hizo que cambiara su opinión con relación al joven. Ella tenía un buen empleo, un salario extraordinario y a los 35 años había logrado poseer algunos bienes. Todo indicaba que el joven, 8 años menor que ella, sólo quería aprovecharse de la situación.

Y así fue. Betty se casó cuando él salió en libertad condicional, se endeudó para juntar dinero para una supuesta empresa que el marido quería establecer, vendió algunos de los bienes que poseía y cuando parecía que todo estaba resultando bien, que el sueño aparentemente se hacía realidad, el marido desapareció llevándose todo el dinero y dejando a Betty literalmente sin nada.

El tiempo pasó y Betty se aisló para la vida y para los hombres. Se apartó de su familia y de sus amigos. Se negó a hablar de lo sucedido. Sufrió en silencio. Pensó que Dios la abandonó o que era muy cruel por permitir que todo aquello le sucediera.

Un día ella me llamó. Había mucho rencor y amargura en su voz. Sus palabras estaban llenas de veneno. Habló mal de Jesús, de la iglesia y de la familia. "¿Entonces por qué me llamaste?" Pregunté. Guardó silencio por algunos segundos y dijo: "Estoy sola pastor, estoy muy sola, y necesitaba hablar con alguien".

Fue doloroso para ella contarme los detalles de su historia. La herida dolía, pero la expuso delante de Jesús, el gran Médico. Era una herida infectada, purulenta, pero quedó limpia por la gracia divina. Por primera vez pudo hablar de lo sucedido y de repente sus ojos se abrieron y se dio cuenta que no estaba sola. Todo ese tiempo Jesús había estado cerca y ella no lo había percibido. La amargura, el rencor y la tristeza no la habían dejado sentir la paz que la presencia de Jesús proporciona.

Y ahora surge una pregunta: ¿Por qué será que cuando la tormenta llega, casi siempre somos incapaces de sentir la presencia de Jesús? La respuesta está en la declaración de los discípulos. Jesús los interrogó sobre qué cosas habían acontecido en la ciudad. La respuesta no se hizo esperar. Los eventos tenían por centro a "Jesús Nazareno, que fue varón profeta, poderoso en obra y en palabra delante de Dios y de todo el pueblo" (San Lucas 24-19). ¿Te das cuenta? Aquellos discípulos sabían lo que las otras personas hablaban acerca de Jesús. ¿Y ellos, qué decían? ¿Por qué no daban su opinión? ¿Por qué no afirmaban que Jesús era realmente el Mesías?

Una relación teórica con Jesús no ayudará mucho cuando aparezcan las dificultades. No basta con estudiar la Biblia. Es preciso encontrar a Jesús en ella. No es suficiente orar. Es necesario buscarlo a través de la oración. Es preciso ir a la iglesia, teniendo en mente que vamos para encontrarnos con Jesús. El tiene que salir de las páginas de la Biblia para convertirse en una experiencia diaria. Tiene que salir de los tratados de teología para convertirse en vida y realidad. Porque solamente la presencia de un Cristo vivo y real, nos ayudará a esperar con paciencia cuando las respuestas tardan en llegar. "Pero —dijeron los discípulos— nosotros esperábamos que él era el que había de redimir a Israel; y ahora, además de todo esto, hoy es ya el tercer día que esto ha acontecido" (S. Lucas 24:21).

Aquellos discípulos comenzaban a dudar de las promesas de Jesús. El había prometido que resucitaría en el tercer día, y aparentemente no había sucedido nada. Somos exigentes. ¿Te das cuenta? Queremos todo aquí y ahora. Nos somos capaces de esperar pacientemente el cumplimiento de los grandes actos divinos. Olvidamos que el consejo bíblico dice: "Echa tu pan sobre las aguas: porque después de muchos días lo hallarás" (Eclesiastés 11:1). Somos así en todo. Hasta en la vida espiritual. Conocemos a Jesús hoy, y mañana queremos tener la vida de un cristiano adulto. Olvidamos que el tiempo es un factor indispensable en el crecimiento y que a un bebé recién nacido le lleva años convertirse en un atleta vencedor de maratones de 42 kilómetros.

La historia de estos dos discípulos termina con una invitación de parte de ellos. "Llegaron a la aldea adonde iban, y él hizo como que iba más lejos. Mas ellos le obligaron a quedarse, diciendo: Quédate con nosotros, porque se hace tarde, y el día ya ha declinado" (S. Lucas 24:29).

Jesús aceptó la invitación, entró para cenar con ellos, y en la hora de la bendición se dieron cuenta que aquel desconocido era Jesús el gran Maestro.

Mi amigo, hoy vivimos en los días finales de la historia de este mundo. Ya es tarde. Ya es muy tarde. Las tinieblas morales y espirituales envuelven a nuestro planeta. Estamos a las puertas de un nuevo siglo. Es hora de ver a Jesús, de abrirle el corazón, de invitarlo a quedarse con nosotros. No puedes retardar tu decisión. Hace mucho frío sin Cristo. El hielo de la indiferencia humana quema el alma. El frío del desamor y el desprecio lastima. ¿Por qué no abres tu corazón y clamas: "¡Quédate conmigo Señor!"?

Capítulo 3

CUANDO NADA SATISFACE

*Q*uedé pasmado, como todo el mundo. La noticia era corta y devastadora: "murió Lady Diana". En la flor de la vida, famosa, bella y millonaria. Se apagó repentinamente, como una vela cuando sopla el viento. En la tarde sonreía al recibir un anillo de brillantes de la persona amada, y en la noche, el mundo lloraba a su princesa muerta.

Durante una semana todos los medios de comunicación sólo hablaban de la trágica muerte de la mujer más famosa del mundo y millones de personas miraban desconcertadas frente a sus televisores la ceremonia fúnebre.

¡Ah, princesa! Tu vida buscando un ideal, corriendo detrás de un sueño, intentando ser feliz. ¿Por qué es que incluso para ti la felicidad se escapaba de tus manos como arena entre los dedos?

¡Ah, princesa¡ Tu muerte; tu trágica, inesperada y repentina muerte, me recuerda que la vida es corta y pasajera. ¿Por qué será que los seres humanos insistimos en vivir solos? ¿Por qué será que preferimos depersonalizar al Dios eterno y lo convertimos en una "energía", "una influencia positiva" o en una "fuerza creadora"? ¿Por qué será que preferimos sustituir al Dios Creador por cosas creadas, buscando la solución de nuestros conflictos en pirámides, cristales o astros?

¡Ah, corazón humano y loco! ¿Por qué corres y nunca llegas? ¿Buscas y nunca encuentras? ¿Por qué intentas ser feliz a tu modo, hiriéndote a ti mismo e hiriendo a los seres que amas?

"Adiós, Rosa de Inglaterra", cantó un amigo de Diana, mientras que ingleses y no ingleses contenían las lágrimas en aquel sábado de mañana. Era una vela encendida y se apagó. Como tú y yo nos apagaremos algún día. Somos como la hierba. La hierba se seca, la flor se marchita, más la palabra de Dios permanece para siempre.

En el capítulo 4 de San Juan encontramos la historia de otra mujer que hace casi 2.000 años, también anduvo por la vida buscando un sentido para su existencia. Todo lo que tenía era pasajero. Nada le duraba. Los amigos no le duraban, los padres murieron pronto y hasta los momentos alegres eran fugaces. La felicidad parecía estar siempre huyendo de ella. La Biblia no nos da siquiera su nombre. La llama apenas la mujer samaritana.

El relato bíblico dice que Jesús "salió de Judea, y se fue otra vez a Galilea, y le era necesario pasar por Samaria" (S. Juan 4:3-4). ¿Por qué le era necesario? Judea quedaba al sur y Galilea en el lado norte. Entre una región y otra estaba localizada Samaria. Sólo que los judíos tenían una extraña costumbre: siempre que se dirigían desde Judea hacia Galilea atravesaban el río Jordán, subían por el desierto de Perea y cuando calculaban que habían dejado atrás a Samaria, atravesaban nuevamente el río y llegaban a Galilea.

¿Por qué hacían esto? Por la simple razón de que no querían pisar la "maldita" tierra de los samaritanos. Recuerda que en cierta ocasión los discípulos le preguntaron a Jesús si podían pedir fuego del cielo para consumir aquella raza. Recuerda también que en otra oportunidad sacudieron el polvo de sus sandalias para no retornar a aquella tierra.

Había mucho prejuicio en contra de los samaritanos. En la opinión de los judíos, aquel era un pueblo que no merecía la salvación. "¿Por qué?" Porque se habían alejado demasiado de Dios. Por eso se tomaban el trabajo de caminar 40 km (25 millas) adicionales para no pisar el suelo samaritano. Pero el texto bíblico afirma que para Jesús "era necesario pasar por Samaria", porque para él no existe caso perdido. Para él, nadie ha ido tan lejos que no pueda oír su voz.

Los seres humanos pueden pensar que tú no tienes más esperanzas de recuperación. Las personas pueden señalarte con el dedo y condenarte por tu pasado. Pero el Señor cree en ti, aunque todos te den la espalda. A pesar de que tus seres queridos se desanimen por tu situación, Jesús te buscará, porque para él no hay caso perdido. Por eso dejó Judea para ir a Galilea, y "le era necesario" pasar por Samaria.

En Samaria estaba aquella mujer sufrida y soñadora. Por favor, no pienses que era una prostituta. Nadie nace prostituta, ni ladrón, ni asesino. Las circunstancias propias de una vida injusta, las consecuencias mismas del pecado, se encargan de presionar y arruinar a muchas personas.

La Biblia no nos da muchos detalles de la vida de esta mujer. Sabemos apenas que vivía en la ciudad de Siquem. Sabemos que todas las mañanas, al levantarse, encontraba su cántaro de agua vacío. Esperaba hasta el mediodía, y a esa hora de sol fuerte que quemaba aquellas tierras, ella se dirigía al pozo para buscar agua. Regresaba feliz, porque había conseguido lo que quería, pero a la mañana siguiente, se daba cuenta que el agua se había acabado. Aquella había sido siempre su vida. Una permanente búsqueda. Correr y correr y sentir que había encontrado, para después descubrir que no pasó de ser una ilusión.

¿Será que tú, mi querido amigo, en algún momento de tu vida te sentiste como esta mujer? Nada permanece. El empleo no es fijo, el dinero es pasajero, la familia se disuelve, todo acaba; se transforma en humo y desaparece.

Aquella mujer se casó muy joven y llena de sueños. Pensó que tal vez el casamiento sería el fin de su incansable búsqueda, pero al poco tiempo vio que su sueño se caía como un castillo de arena. El casamiento no duró. Otra persona en su lugar tal vez hubiese desistido, pero la samaritana era de las personas que no sólo sueñan, sino que también luchan por esos sueños. Por eso intentó una y otra vez. Y cuando la encontramos en el relato bíblico, ya se había casado y divorciado cinco veces y últimamente sólo tenía relaciones fugaces con muchos hombres.

Es muy fácil señalarla, como lo hacían las mujeres casadas de Samaria, llamándola "ladrona de maridos", "mujer fácil" o "liviana". ¿Acaso no dice la Biblia "por sus frutos los conoceréis"? (S. Mateo 7:16). Sí, pero, ¿cómo sería si antes de "conocerlos" intentáramos entenderlos a la luz de las circunstancias?

Hace unos días vino a hablar conmigo una joven que conozco desde que era una niña. Sus cabellos rubios brillaban como el sol de mediodía, pero sus ojos, a pesar de ser azules, reflejaban el oscuro atardecer de una vida desesperada. Se había lastimado mucho y al hacerlo había lastimado a mucha gente querida. Lo que más me impresionó fue su clamor: "Pastor, yo no quise arruinar todo. Sólo quería ser feliz." ¡Ah! Linda joven de cabellos rubios, ¿quién te dijo que podrías ser feliz sin Cristo? Buscaste y buscaste, corriste y corriste, trataste y trataste mientras Jesús estuvo siempre suplicando que te acordases que ¡él es la única persona en el mundo capaz de satisfacer el alma!

La vida de la mujer samaritana era una permanente rutina. Todo los días repetía el mismo ritual. Esperaba hasta el mediodía, buscaba agua, y al día siguiente comenzaba todo nuevamente. Día tras día, mes tras mes, año tras año, y siempre la misma rutina.

Pero aquel día sería diferente porque Jesús estaba en el pozo, y Jesús siempre hace la diferencia entre la vida y la muerte, entre el pasado y el futuro, entre la salvación y la perdición, entre la rutina y la novedad de la vida.

Entre las muchas cartas que recibo, encontré el otro día una que decía: "la vida era una rutina que me enloquecía. Despertaba, iba al trabajo, volvía en la tarde cansado, cenaba, miraba televisión y dormía. ¿Todo para qué? Para esperar ansiosamente que llegase el fin de mes para recibir el salario que no duraba ni diez días. Después, todo de nuevo. Eso no era vida. Comencé a pensar que no valía la pena continuar viviendo. Entré en depresión, abandoné el empleo, a mi familia y empecé a vagar por el mundo intentando darle un poco de sentido a mi vida, pero fue en el gimnasio de Itapecerica da Serra, en Sao Paulo, llevado por un insistente amigo, donde encontré a Jesús. Sin saber cómo, me vi llorando y aceptando a Jesús como mi Salvador. Hoy ya pasaron tres años y me levanto todos los días con ganas de vivir y de hablar a las personas de las maravillas que Jesús hizo en mi vida".

Aquel mediodía histórico en la vida de la samaritana sin duda fue como el de cualquier otro día. Aparentemente era un día más. Pero no lo era. Jesús estaba en el pozo, esperándola con amor. En realidad, Jesús siempre está allí, porque la iniciativa de la salvación es divina. El hombre no se salva porque quiere ser salvo. Todo lo que el corazón natural desea es la basura de esta vida que tiene como consecuencia su autodestrucción. La iniciativa de la salvación siempre fue divina. No somos nosotros los que buscamos a Jesús, es él quien dejó a las 99 ovejas y vino a buscar a la que se había perdido. Nosotros sólo necesitamos dejar de correr y de huir. Necesitamos ser hallados por Jesús.

A veces, en esta loca carrera de la vida, sólo nos detenemos cuando estamos exhaustos, cuando nos lastimamos o perdemos una pierna o un brazo. Vivimos corriendo, no queremos oír la voz de Jesús, cerramos los oídos a todo aquello que tiene que ver con los valores espirituales, y la propia vida se encarga de llevarnos a un punto en el cual no podemos huir más.

Conozco personas que cuando todo les iba bien, abandonaron los principios que los padres colocaron en su corazón cuando eran niños. Nunca más quisieron saber del Evangelio. Lo consideraron una etapa superada de su vida, un pedazo de su propia historia que prefirieron olvidar. Pero un día, de repente, perdieron todo, hasta la familia y la salud. Sin tener a donde ir, dejaron de correr y decidieron reencontrarse con Jesús. Una de ellas me dijo el otro día: "Pastor, sólo quisiera que mis padres estuviesen vivos para darles la alegría de saber que volví a Jesús, porque ellos murieron orando por mí". "No te preocupes —le dije para confortarlo— tú les darás esa inmensa alegría en la mañana de la resurrección. Entonces, ellos sabrán que sus oraciones fueron contestadas".

El sol brillaba a mediodía en el pozo de Siquem. Era la hora más caliente del día. Nadie era tan necio como para buscar agua a esa hora. Las mujeres de Samaria buscaban agua de mañana antes de que el sol calentase con fuerza, o de tarde, cuando el calor del sol disminuía. ¿Pero al mediodía? Sólo la mujer samaritana lo hacía y tenía una razón poderosa para eso. En su opinión, todos los samaritanos eran chismosos. La juzgaban y la condenaban por su conducta. Las mujeres hablaban de ella. Era un "mal social necesario". Por eso prefería buscar agua a la hora en que nadie estaba en el pozo. Parte de su infelicidad estaba en el hecho de que ella sufría la culpa de su situación delante de otras personas: *"¿Por qué no soy una mujer bien casada? Porque los hombres no sirven. ¿Por qué vivo sola? Porque nadie me comprende. ¿Por qué tengo que buscar agua en esta hora tan calurosa? Porque las mujeres hablan mal de mí"* ¿Te das cuenta? La samaritana se consideraba una víctima. Todos eran monstruos y ella era una pobre mujer. Todos estaban llenos de prejuicio y sólo ella tenía una mente abierta.

Pero ahora se encontró con Jesús, quien le mostró la verdadera radiografía de la situación. Una especie de espejo donde ella misma podía ver cuál era la raíz de sus problemas.

"Dame de beber", le pide Jesús, y la mujer de "mente abierta" de pronto descubre que ella también alberga prejuicios. "¿Cómo tú, siendo judío, me pides a mí de beber, que soy mujer samaritana?" (S. Juan 4:9). Paredes, barreras, prejuicios, ¿te das cuenta? Ella era la que más juzgaba y no la víctima que se creía. Descubre su verdadera condición en la presencia de Jesús.

Conocí un joven que cuando era niño fue muy maltratado por sus padres. "Eres un burro y no sirves para nada", le decían. "Eres la vergüenza de la familia"; "nunca serás nada en la vida". Los años pasaron, creció y el "pronóstico" de los padres fue errado. El triunfó. Consiguió poder y una posición destacada en su comunidad. Pero no era feliz. No conseguía tener relaciones duraderas. Usaba su poder para maltratar, perseguir y explotar aun a su propia esposa e hijos. ¿De qué servían el dinero y la posición si su hogar era un desastre?

Fue en esas circunstancias cuando conoció a Jesús. Se dejó encontrar y lo aceptó. Una noche en la que prediqué sobre Jacob, que necesitó 20 años para reconocer que era un "mentiroso", este joven cayó arrodillado y dijo en su corazón: "¡Oh, Señor! Sé que quieres darme la bendición completa pero es preciso que reconozca quién soy. Soy un hombre que abusa de su poder porque nunca acepté lo que mis padres hicieron conmigo. Huyo de esos recuerdos pero me persiguen como fantasmas. Nunca quise aceptarlo, pero esta noche vengo a ti como soy, por favor, transforma mi ser completamente". Y aquella noche fue el inicio de una nueva experiencia en la vida de aquel hombre.

Muchas veces no somos totalmente felices porque tenemos un falso concepto de nosotros mismos. Creemos que somos una cosa y las personas nos tratan de manera diferente. ¿Sabes cuál es el lugar donde puedes saber quién eres realmente? A los pies de la cruz. La cruz adquiere dimensiones gigantescas y tú reconoces tu insignificancia, reconoces quién eres, no ocultas tu pasado, ni disfrazas tu presente. A los pies de la cruz reconoces tu verdadero carácter, tus culpas, traumas y complejos y depositas todo en las manos de Jesús. Entonces oyes su maravillosa voz que te dice: "Yo sé, hijo mío, tú eres eso y un poco más, pero ¿por qué crees que estoy muriendo por ti ahora? A pesar de todo lo que hiciste o dejaste de hacer, tú eres la cosa más linda que tengo, vales mucho y por eso dejé los cielos y vine a morir en esta cruz como un ladrón".

El hecho de que la mujer samaritana reconociera que parte de la culpa de su triste vida era suya, fue el punto de partida de su renacimiento. Comprendió entonces que toda su vida estuvo dedicada a perseguir cosas pasajeras: casa, auto, fama, dinero, placer, ropas y joyas. Pero aunque incluso todo eso fuese necesario, la vida tenía una dimensión espiritual que ella ignoraba. Podía conseguir abundancia de bienes materiales, pero si no quedaba satisfecha la ansiedad de su corazón, nunca sería feliz. Advirtió que si satisfacía la ansiedad de su alma, los bienes materiales, por insignificantes que fuesen, empezarían a tener sentido. ¡Claro! Era eso lo que le estaba faltando. El agua de vida que nunca se acaba. Un corazón feliz, que se asemeje a una fuente de donde fluya agua permanentemente para calmar la sed de los otros. El secreto estaba en no esperar de los otros, sino en dar.

Por eso corrió y contó a todos en la ciudad las maravillas que Jesús hizo en su vida. Dejó todo, olvidó el cántaro, entró en la ciudad gritando de alegría y saltando de felicidad.

El resultado de aquella experiencia fue una ciudad convertida. Aquellas personas estaban condenadas al olvido, sin Dios, sin salvación. Pero el testimonio de una vida transformada fue capaz de conmover a los más incrédulos.

¿Te imaginas lo que el testimonio de tu vida sería capaz de hacer por aquellos que aún no conocen a Jesús? Este es el momento. Este es tu pozo de Jacob. Este es tu gran día. A lo largo de la vida, Jesús te llamó de muchas formas y en este momento estás sintiendo una vez más el suave susurro de su voz. ¡Acéptalo!

Capítulo 4

CUANDO TODO FALLA

$\mathcal{G}$ ilson comenzó a darse cuenta de su triste realidad cuando un día en el aeropuerto, a la hora del embarque, fue invitado a entrar al avión en primer lugar junto con los niños y las personas ancianas. Hasta ese día nunca se había detenido a pensar que el tiempo implacable deja sus huellas. Aquel incidente lo perturbó durante todo el viaje, y cuando llegó a su casa, lo primero que hizo fue mirarse en un espejo. Era verdad: estaba viejo. Por dolorosa que fuese la realidad, el tiempo no había transcurrido en vano.

"Mi Dios —dijo, tocándose el rostro repetidas veces—, ¿qué hice con mi vida? Estoy viejo y no logré nada, desperdicié mi juventud y ¿qué me queda?"

Como en una película, comenzó a recordar toda su vida. Tuvo momentos fugaces de gloria y riqueza. En la época dorada de las minas, logró hacer una fortuna. Después emprendió varios negocios y aparentemente todo parecía estar bien. Pero nunca fue feliz. Una prueba de eso eran los tres matrimonios deshechos y los cinco hijos con los cuales se relacionaba mal y esporádicamente.

Alcohol, mujeres y juego. Tal vez esas tres palabras podían definir la historia de su tragedia. Las mujeres siempre estuvieron presentes en su vida mientras tuvo dinero. El juego se encargó de transformar su fortuna en un montón de deudas. Sólo le quedó el alcohol, inseparable compañero que cobraba cada día un precio muy alto por su compañía.

A pesar de todo, nunca perdió sus aires de gran señor. Endeudado, tenía facilidad para conseguir dinero prestado que no devolvía, avergonzando a sus hijos. Nunca tomó las cosas en serio. La vida para él siempre fue un juego divertido, hasta ese día en el aeropuerto cuando alguien sin querer le dijo que estaba viejo.

Los meses que siguieron después de ese día fueron de angustia, tristeza y búsqueda. Angustia por no saber cómo revertir la situación a estas alturas de su vida. Tristeza por darse cuenta de cuánto había herido a tanta gente querida. Y la búsqueda de una luz al final del túnel en el que había convertido su vida. Se entregó al espiritismo, a la macumba y a las filosofías orientales, tratando de encontrar una solución, pero su peregrinaje llegó a su fin cuando, una noche, oyó un mensaje por la radio. El mensaje trataba del paralítico del estanque de Betesda. El Espíritu Santo hizo que el incidente que ocurrió hace casi 2.000 años, se transformara en un hecho actual, y por primera vez en varios meses sintió que había una esperanza para él.

La narración bíblica comienza de la siguiente manera: "Después de estas cosas había una fiesta de los judíos, y subió Jesús a Jerusalén" (S. Juan 5:1).

Contrariamente a lo que mucha gente piensa, Jesús era un hombre sociable. Le gustaba ver felices a las personas y estaba siempre presente en medio de la alegría de sus hijos. Estuvo en las bodas de Caná, participó de la recepción que

Simón ofreció en su casa, donde María le lavó los pies con perfume, y aquí, en el capítulo 5 de Juan, lo vemos yendo otra vez a Jerusalén para participar de festividades.

Todo eso nos muestra que el cristianismo no está peleado con la alegría. No tengas miedo de celebrar tu cumpleaños invitando a tus amigos a compartir una torta contigo. No te prives de llamar a tus compañeros e invitarlos para un almuerzo especial en tu casa, pero recuerda invitar a Jesús para que esté presente.

Existen cristianos que tienen miedo de ser felices. El concepto que tienen de la vida cristiana es el de una vida sin color, llena de niebla y de permanentes sacrificios. En su opinión, el cristiano debe estar siempre con rostro serio, tenso, llorando y despertando la compasión de los demás. Pero Jesús dice: "yo he venido para que tengan vida, y para que la tengan en abundancia" (S. Juan 10:10). La alegría del cristiano no consiste en sonreír a todo el mundo o en ver todo hermoso, simplemente porque debe "ser feliz". La verdadera alegría es el resultado de algo maravilloso que ocurre en el corazón. Es la capacidad de ver siempre un rayo de luz aun en medio de la oscuridad de la vida. No necesitas fingir, la felicidad genuina brota de manera natural y auténtica, como resultado de la esperanza.

Aun cuando a Jesús le gusta estar presente cuando sus hijos están alegres, él sabe muy bien que en este mundo la tristeza, el dolor y las lágrimas son una realidad inevitable. Más aún, él sabía dónde había personas sobrecogidas por el dolor y la desesperación, por eso se dirigió hacia el estanque de Betesda. Allí, cerca del estanque, había un grupo de personas enfermas esperando que las aguas se agitaran porque, según una antigua tradición judía, de tiempo en tiempo un ángel descendía del cielo y agitaba las aguas del estanque, y la primera persona que entraba se curaba de todas sus enfermedades.

Esta actitud puede parecer muy infantil hoy, pero para poder comprender a estas personas, tendrías que perder la salud y ser desahuciado por los médicos.

¿Acaso no existen hoy personas que comen cartílagos de tiburón para curarse del reumatismo? ¿No se ven por ahí personas sometiéndose a cirugías espiritistas con la intención de ponerle punto final al sufrimiento físico?

No sé realmente si las aguas de aquel estanque eran agitadas o si era una simple superstición. Lo que sí sé es que esa era la única cosa que les daba un poco de esperanza. Millones de personas que pueblan este mundo viven de esperanzas. Algunas esperan ganar la lotería, otras esperan que las cosas mejoren. Hay quienes esperan la muerte porque están cansados de sufrir, y también están los que esperan vivir más de cien años en esta tierra. Los científicos esperan descubrir el remedio contra el cáncer. Los niños esperan crecer para no tener que pedir más permiso a sus padres, los alumnos del curso secundario esperan terminar para ingresar a la universidad, tener una profesión y conseguir un buen empleo. ¿Te das cuenta? La esperanza da sentido a nuestra vida. El problema es dónde depositamos nuestras esperanzas.

Cerca del estanque de Betesda había personas que esperaban por años la oportunidad que nunca se daba. Este era el caso del paralítico que Jesús curó. Aquel hombre fue paralítico por 38 años. Era mucho tiempo. Seguramente él y su familia ya habían intentado todo sin éxito. Nadie acepta una situación como ésta sin luchar. Pero, ¿a dónde ir cuando todo ha fallado? Por eso, ese hombre estaba allí, en una espera interminable de días y noches... pero el tiempo pasaba y nada sucedía.

La parálisis física de ese hombre es un símbolo de la parálisis espiritual que se apodera del ser humano muchas veces. ¿Quién es un paralítico? Aquel que es capaz de hacer las proezas más grandes con su mente, pero tiene la desgracia de cargar con un cuerpo que no acompaña a sus ideas. Puede cerrar los ojos e imaginarse en una cancha de fútbol haciendo el gol más lindo de la historia, pero cuando vuelve a la realidad, se da cuenta que su cuerpo no puede hacer lo que es capaz de hacer con su mente. Puede imaginarse escalando el pico más alto de una montaña, pero luego se da cuenta que su cuerpo está inerte en una silla de ruedas.

En la vida espiritual, un paralítico es aquel que tiene las mejores intenciones para con Dios, su familia y la iglesia, pero su cuerpo está cargado de pasiones humanas que lo arrastran hacia el fondo de un pozo. Con su mente promete y toma las mejores decisiones, pero su cuerpo no lo acompaña.

Por increíble que parezca, esta es la realidad del ser humano. Ya lo dijo Jesús: "el espíritu a la verdad está dispuesto, pero la carne es débil" (S. Mateo 26:41). Y el apóstol San Pablo, al describir la gran lucha de su vida, narra así su drama: "Porque lo que hago, no lo entiendo; pues no hago lo que quiero, sino lo que aborrezco, eso hago. Y yo sé que en mí, esto es, en mi carne, no mora el bien; porque el querer el bien está en mí, pero no el hacerlo. ¡Miserable de mí! ¿Quién me librará de este cuerpo de muerte?" (Romanos 7:15, 18, 21).

Cuenta la tradición en los días de San Pablo, que cuando un asesino era prendido, su condena era cargar el cadáver de la víctima por varios días. No sé si es verdad, pero puedo imaginar la tortura que debía ser cumplir semejante sentencia. San Pablo termina el texto con un grito doloroso: "¡Miserable de mí¡ ¿Quién me librará de este cuerpo de muerte?" Él está hablando aquí de la naturaleza pecaminosa que acompaña al ser humano desde el día de su nacimiento. Por su parte, dice el salmista David: "En pecado me concibió mi madre" (Salmo 51:5). Y si existió un hombre en este mundo que sabía lo que era luchar contra una naturaleza pecaminosa, ese era David. David era el rey de Israel. Su vida era un testimonio del amor y la misericordia divinos. Nadie tenía mejor razón para serle fiel a Dios, porque el Señor lo sacó del corral de las ovejas para convertirlo en rey de su pueblo, pero desafortunadamente David vio un día a la mujer de uno de sus generales y allí comenzó la lucha. Su mente decía una cosa, pero su cuerpo no era capaz de acompañarla. Su corazón lloraba porque sabía el mal que estaba haciendo, pero la maldita naturaleza pecaminosa gritaba más alto, hasta acallar la voz del Espíritu y hacerlo entrar en el estado soporífero de pecado.

Un día se dio cuenta. Comprendió la malignidad de su pecado y desesperado corrió y corrió durante la noche, buscó una cueva, y allí se arrodilló y le expresó a Dios lo que está registrado en el Salmo 51.

Conozco muchas personas como David. Son personas maravillosas. Buenos miembros de iglesia, ciudadanos honestos y padres de familia extraordinarios que lloran y se desesperan porque cargan en sus cuerpos la parálisis de la naturaleza pecaminosa.

La historia del paralítico que fue curado en el estanque de Betesda es un símbolo de aquello que Jesús quiere hacer hoy en nuestra vida, pero también es un anticipo de lo que hará en ocasión de su segunda venida, en aquello que la teología llama *glorificación* cuando "este cuerpo corruptible se vista de incorruptible..." (1 Corintios 15:53).

El estanque de Betesda, que en hebreo significa 'gracia', donde sucedió el milagro, estaba "cerca del patio de las ovejas". Aquí está implícita otra verdad incuestionable del Evangelio. No existe gracia sin cordero, ni salvación sin Cristo. El sacrificio de Cristo ya estaba previsto antes de la fundación del mundo" (Apocalipsis 13:8). En el jardín del

Edén, después del pecado de Adán y Eva, fue sacrificado un cordero para que su piel pudiese cubrir la desnudez del hombre. La sangre de aquel Cordero dejó huellas en el camino de la historia, hasta derramarse en forma total en la cruz del calvario. Y hoy, tú y yo podemos encontrar la solución para nuestra parálisis espiritual a los pies de la cruz.

Imagina ahora conmigo: Jesús se aproxima al paralítico y le pregunta: "¿Quieres curarte?" Qué pregunta aparentemente tonta. Si estaba ahí era porque quería curarse ¿no es cierto? Pero lo que Jesús decía implicaba que no bastaba con estar allí. Tú puedes frecuentar una iglesia, puedes hasta cantar en el coro o tener un cargo de liderazgo, pero ¿cuáles son tus motivaciones? ¿Qué te lleva a hacerlo? ¿La súplica de tus padres? ¿Agradar a tu novia? ¿Estar con tus amigos? ¿Te das cuenta? No es suficiente "estar". Muchas personas pueden estar y no desear realmente sanarse.

¿Alguna vez te descubriste yendo a la iglesia nada más que por costumbre y sin experimentar el deseo ferviente de encontrarte con Jesús? ¿Alguna vez te has quedado en el patio de la iglesia, conversando con tus amigos, o entraste sólo para ver la ropa o el cabello de las otras personas, privándote de la experiencia maravillosa de ser tocado por Jesús?

Puedes ver que la pregunta que Jesús hizo al paralítico tenía mucho sentido. Jesús quería despertar en el pobre hombre la conciencia de su necesidad, pretendía despertarlo de la somnolencia espiritual, sacarlo de la rutina y de la monotonía en las cuales estaba envuelto por causa de las circunstancias. Por eso preguntó: "¿Quieres curarte?"

En el fondo de esta pregunta existía una segunda intención. Jesús sabía que muchos enfermos prefieren continuar así porque esa es la mejor manera de atraer la atención de los otros. Pueden existir enfermos por conveniencia, por comodidad o por autocompasión, y por doloroso que esto parezca, es la realidad de muchas personas viciadas psicológicamente con medicamentos y consultas médicas. A ellas va dirigida la pregunta de Jesús: ¿quieres sanarte o te parece más "conveniente" continuar en ese estado?

Ahora viene la respuesta del paralítico: "Señor, le respondió el enfermo, no tengo quien me meta en el estanque cuando se agita el agua..." (S. Juan 5:7). ¿Para qué necesita el paralítico llegar al estanque si está enfrente de Jesús, el Autor de la vida? Sus ojos son incapaces de reconocer por la fe al Autor de la salvación, y humanamente deposita su confianza en cosas visibles que el raciocinio humano puede comprender. Las aguas estaban allí, podía tocarlas, pero la sanidad que Jesús le ofrecía era "abstracta e impalpable".

Millones de personas hoy necesitan desesperadamente de Jesús. Las soluciones humanas para resolver sus problemas no están resultando. Intentando encontrar una salida, el hombre moderno se siente cada vez más confuso, pero no da "el brazo a torcer". Quiere "entender". Ansía "comprender" y va muriendo lentamente.

Otro peligro que este incidente nos presenta es el de depositar la confianza de la salvación en la iglesia o en el bautismo, en vez de depositarla únicamente en Cristo. ¿Esto quiere decir que el cristiano no debe preocuparse por el bautismo o por la iglesia? No, ambos tienen un lugar especial en la experiencia de aquellos que aceptan a Jesús como su Salvador, pero no ejercen una función salvadora.

¿Y qué es el bautismo? Es la declaración pública de la aceptación de Jesús como tu Salvador y el símbolo de la muerte y resurrección de Cristo como garantía de tu salvación.

Cuando un joven y una señorita se aman, desean casarse para vivir juntos. Reúnen a los amigos y familiares, adornan la iglesia e invitan a un ministro para que en la presencia de todos, declare públicamente que se aceptan como esposos.

Pero, ¿qué pensarías de un joven que dice amar a una señorita con todo el corazón y rehúsa casarse con ella? ¿Qué tipo de amor es ese? "Yo te amo pero no quiero compromisos". Un amor así es difícil de comprender, pero, por insólito que parezca, existen personas que dicen que aman a Jesús con todo el corazón, afirman tener una experiencia de comunión con él, pero huyen del bautismo y temen asumir un compromiso de vida con Jesús.

El bautismo es nada más que un momento maravilloso en el que reúnes a tus amigos y familiares, invitas al pastor y en la presencia de todos ellos declaras públicamente tu amor por Cristo y tu fe en la muerte y resurrección del Salvador.

Pero, como todo en la vida, también con el bautismo existe el peligro de la falsificación. Puedes observar falsificaciones todos los días en todas las áreas de la vida. Existe, por ejemplo, un perfume muy cotizado de la línea "Paco Rabanne", cuesta aproximadamente 40 dólares, pero aparece un negociante sin escrúpulos que mezcla un poco de agua y esencias baratas, coloca una etiqueta falsa que dice "Paco Rabanne", y vende el perfume por tres dólares. Lo mismo sucede con marcas famosas de trajes, corbatas y otros objetos. ¿Y si la falsificación es una realidad en las cosas materiales, no te parece que podría existir con similar frecuencia en las cosas espirituales?

La pregunta que sigue es: ¿Cómo distinguir al bautismo bíblico y auténtico del falso? Es muy simple, permíteme ilustrarlo de la siguiente manera: Una vez por ahí, en uno de mis viajes, me dieron un billete falso de cien dólares. Es una experiencia indignante y amarga descubrir que fuiste engañado. Por eso aprendí a identificar los billetes verdaderos. Tienen algunas características que los distinguen. Hoy nadie más me engaña. Cada vez que recibo un billete, verifico cada una de esas características y eso me ha ahorrado muchas frustraciones.

De la misma manera, el bautismo bíblicamente auténtico también tiene algunas características y si las conoces, podrás evitar ser engañado. Veamos:

1. La persona debe convertirse en discípulo antes del bautismo. Jesús dice: "Por lo tanto, id, y haced discípulos a todas las naciones, bautizándolos en el nombre del Padre, y del Hijo, y del Espíritu Santo" (S. Mateo 28:19).

2. La persona debe arrepentirse antes de ser bautizada. San Pedro afirma: "arrepentíos, y bautícese cada uno de vosotros en el nombre de Jesucristo" (Hechos 2:38).

3. La persona debe creer antes de ser bautizada. Jesús ordena: "El que creyere y fuere bautizado, será salvo" (S. Marcos 16:16).

4. La persona debe ser sumergida en el agua para simbolizar la muerte y resurrección de Jesús. San Pablo pregunta: "¿O no sabéis que todos los que hemos sido bautizados en Cristo Jesús, hemos sido bautizados en su muerte? Porque somos sepultados juntamente con él para muerte por el bautismo, a fin de que como Cristo resucitó de los muertos por la gloria del Padre, así también nosotros andemos en vida nueva" (Romanos 6:3-4).

Ahora quiero hacerte unas preguntas: ¿Fuiste bautizado con el bautismo bíblico auténtico?¿Fuiste instruido en las doctrinas de la Biblia, creíste y te arrepentiste antes de bautizarte? ¿Fuiste sumergido en las aguas como símbolo de la muerte y resurrección de Cristo? Y si no fue así, ¿qué crees que debes hacer ahora?

Permíteme regresar a mi ilustración anterior. Supongamos que yo no conozco las características de un billete verdadero y un día, leyendo un libro, descubro la manera de identificar la autenticidad de un billete. Luego tomo los cien dólares que tengo en mi bolsillo, lo comparo con las características auténticas y para mi sorpresa, me doy cuenta que lo que guardaba con tanto cuidado, no pasó las pruebas de autenticidad. ¿Cuánto crees que vale ahora el billete que tengo? Valía mientras no sabía que era falso, pero ahora ya no tiene más valor.

¿Será posible que alguien esté creyendo con mucho cariño en la validez de su bautismo, cuando este no tiene las características del bautismo auténtico que está descrito en la Biblia?

Esto puede ser doloroso, pero la vida me enseñó que mientras estemos en este mundo, el descubrimiento de nuevas verdades puede causar dolor, pero finalmente trae alivio y paz al corazón.

Volvamos ahora al estanque de Betesda y a la actitud del paralítico ante la orden de Jesús: "Levántate, toma tu lecho y anda". Aquello no era una invitación, ni un consejo, ni una sugerencia. Aquello no era una simple advertencia, ni siquiera el ofrecimiento de varias opciones. Jesús le presentó al paralítico apenas dos caminos: o te levantas con fe, o permanecerás lisiado por el resto de tu vida. No existe una tercera posibilidad. No hay tiempo para demoras. No puedes continuar aplazando tu decisión. No puedes acercarte al estanque, ni hacer cualquier otra cosa para curarte. Nadie puede. Todo falló hasta aquí, mas ahora me toca a mí, dice Jesús, aunque YO SOY todopoderoso, hay algo que nunca haré: tomar la decisión por ti. Eres tú el que tendrá que abrir el corazón, creer y permitir que YO obre en tu vida.

El paralítico estaba en el punto donde millones de seres humanos fracasan. Era el punto donde se ejercita la fe en Cristo. Infelizmente, el ser humano moderno prefiere creer en cualquier cosa, menos en Jesús y en su palabra.

El puertorriqueño Walter Mercado, por ejemplo, logra facturar más de 200 millones de dólares al año, vendiendo "soluciones astrológicas" a través de programas de radio, TV, noticieros, libros, CD y llamadas telefónicas. Esto revela la fe que las multitudes colocan en soluciones ilusorias y sin fundamento.

El paralítico de nuestra historia se encontraba frente a dos posibles soluciones: o continuaba esperando que "el ángel agitase las aguas" o creía en la palabra redentora de Jesús. Era tomar o dejar. Hasta ahora todo había fallado en su vida. ¿Por qué no creer en Jesús?

Si le hubiese preguntado a Jesús cómo podría levantarse si no sentía que estaba curado, habría permanecido paralítico por el resto de su vida. Pero, aunque él no sentía nada, creyó, se levantó y anduvo.

Millones de personas están muriendo esperando "sentir". "Pastor, no siento que soy salvo", me escriben. "Siento que estoy perdido", claman. "No me siento perdonado", se lamentan. Sentir. Ese parece ser el gran obstáculo de muchos cristianos. No son capaces de creer. Lo que quieren es "sentir". Pero los sentimientos humanos, propios de un corazón pecaminoso, son un medidor poco confiable de la validez de las promesas divinas. Los sentimientos generalmente nos hacen creer que todo está mal cuando las cosas están bien o viceversa. Ya lo dijo Jeremías: "Engañoso es el corazón más que todas las cosas, y perverso; ¿quién lo conocerá?" (Jeremías 17:9). Y Salomón añade: "Hay camino que al hombre le parece derecho; pero su fin es camino de muerte" (Proverbios 14:12) .

Por lo tanto, el milagro que Jesús estaba a punto de realizar en la vida de aquel paralítico, no dependía de lo que él sentía. Su palabra era soberana. "Levántate y anda", le había dicho, y él debía creer. Y creyó. Y anduvo. Y ese fue el fin de su historia de sufrimientos y frustraciones.

Después de ser curado, el hombre quiso agradecer a Jesús, pero éste se había ido. Había desaparecido. Jesús generalmente cumplía su misión y se retiraba, no se quedaba esperando agradecimientos. Pero el texto bíblico dice que: "Después le halló Jesús en el templo..." (S. Juan 5:14).

Aquí vemos el papel que la iglesia desempeña en la vida del cristiano. El hombre no fue a la iglesia para ser curado. Jesús ya lo había sanado, pero después, la primera cosa que hizo fue ir a la iglesia, y allí tuvo la oportunidad de encontrarse nuevamente con Jesús para alabarlo y agradecerle por la bendición recibida. Se engaña quien cree que solamente el hecho de pertenecer a una iglesia puede salvarlo. Se engaña también quien cree que lo que realmente vale es encontrarse con Jesús y que puede prescindir, y hasta hablar mal de la iglesia.

La salvación viene de Jesús, pero él estableció su iglesia en esta tierra para ser un lugar de loor a Dios y de crecimiento y apoyo comunal entre los cristianos. "Porque donde están dos o tres congregados en mi nombre, allí estoy yo en medio de ellos" (S. Mateo 18:20), enfatizó.

Esta historia tuvo lugar hace casi 2.000 años. Pero ahora se repite contigo. Tú puedes dejar que salga del papel y se torne en experiencia viva en tu propio ser. Este es el momento. Jesús se acerca y te pregunta: "¿Quieres sanarte?" Nadie puede responder por ti. La puerta del corazón sólo se abre desde adentro.

Capítulo 5

CUANDO TODO PARECE PERDIDO

Conocí a Rosa en circunstancias dramáticas. Su hijo mayor, un joven promisorio de apenas 18 años y con ansias de vivir, murió en un accidente brutal.

Después que su matrimonio lleno de dolor e incomprensiones terminó, ella había concentrado toda su atención en aquellos dos hijos que le dieron fuerza para seguir viviendo a pesar de sus muchas pruebas. Mas ahora estaba allí, delante del cadáver de su hijo mayor. Esa situación era indignante por ser incomprensible. ¿Cómo aceptar que Dios es amor cuando todo duele? Duele la vida, el corazón, los recuerdos del pasado, la incertidumbre del futuro. ¿Qué palabras sirven para consolar a una madre que vive este momento ilógico? Que un hijo entierre a su madre, de algún modo es natural y hasta lógico. Pero que la madre contemple el cuerpo sin vida del hijo de sus sueños y de sus entrañas, no tiene ningún sentido. Es irracional. Es cruel y hasta humillante por ser injusto, humanamente hablando.

Pero lo grandioso del amor de Dios es que cuando piensas que no tienes más fuerzas para cargar el pesado fardo de tus pruebas, él te sustenta. Cuando llevado por tu humanidad, eres incapaz de comprender la realidad y muchas veces hasta maldices el nombre de Dios, él abre sus brazos y te permite llorar sobre sus hombros.

Esto fue lo que sucedió en la vida de Rosa. Dios usó un instrumento infalible llamado tiempo para curar las heridas abiertas y crear las condiciones necesarias para que ella supiera que no estaba sola, abandonada u olvidada por Jesús.

Cuando la conocí, todavía estaba muy dolida por lo sucedido, pero en medio de las lágrimas de nostalgia por su hijo amado, me agradeció por algunos mensajes que había oído en algunos casetes que alguien le prestó.

Tal vez esta historia sería una como tantas otras, si no fuese por el hecho terrible de otro accidente que segó la vida del segundo hijo. Esta vez había desesperación en su voz. Repetía incansablemente del otro lado de la línea telefónica: "Ah, pastor" —decía—, "no tengo más fuerzas para vivir. Todo está perdido. Nada tiene sentido para mí. No quiero explicaciones ni quiero entender nada. Sólo quiero morir, ¿por qué Dios no me quita la vida?"

A lo largo de los años he encontrado muchas "Rosas" que cruzan el valle de sombra y de muerte. Personas que lucharon para conquistar algo, o que en algún momento pensaron que eran felices, mas de repente perdieron todo y se sintieron tratadas injustamente por la vida.

Uno de los primeros pensamientos que asaltan a una persona en esta circunstancia es: "Dios ni siquiera sabe que existo", "pudo haberme creado, pero se ha olvidado de mí", "yo no le importo".

En el capítulo 7 del Evangelio de San Lucas, se encuentra registrada la historia de una mujer muy parecida a Rosa.

Aquella mujer era una viuda. La Biblia ni siquiera nos da su nombre, tal vez para que la historia se pueda aplicar mejor a tu experiencia o a la mía, porque tú o yo bien podemos ser aquella mujer.

En aquellos tiempos el valor de la mujer dependía del esposo. Cuando él fallecía, ella estaba condenada a la miseria si es que algún pariente del esposo no le pasaba una pensión. Por lo tanto, además del dolor por la muerte del esposo, el contexto social tornaba la viudez en una crisis terrible. Sería olvidada, abandonada y humillada a menos que tuviese hijos, y de preferencia, varones.

Siendo así, y aunque la muerte de su esposo había sido una tragedia, todavía existían posibilidades, pues era madre de un joven varón. En él estaban concentrados sus sueños y esperanzas. Vivía para él y por él. Nadie se atrevería a humillarla. A pesar de la muerte de su esposo, no todo estaba perdido. Quedaba todavía una esperanza.

Pero la historia bíblica ahora nos presenta a esta viuda en circunstancias terribles. Su hijo, su único hijo, la esperanza que le quedaba, también había muerto, y ella se dirige al cementerio para enterrar todos sus sueños.

Aparentemente todo estaba perdido, y digo aparentemente porque la historia narra que "pocos días después siguió Jesús viaje hacia una ciudad llamada Naín". Y la presencia de Jesús cambia las cosas. Cuando todo parece perdido, él siempre hace la diferencia.

Naín era una pequeña aldea que no se menciona en ninguna otra parte de la Biblia ni en ninguna otra fuente histórica. Estaba ubicada más o menos a unos 8 km al sur de Nazaret. Era insignificante. Ningún personaje ilustre se tomaría el trabajo de ir a Naín, bajo el sol candente de aquellas tierras y transitar por esos polvorientos caminos casi solitarios. Pero Jesús fue. El Rey de Reyes y Señor de Señores que vino a este mundo y nació entre animales en un humilde establo, se dirigió a la pequeña y olvidada Naín ¿Sabes por qué? Porque allí, lejos de las luces de las grandes ciudades, había una mujer que lloraba la muerte de su único hijo.

No existe dolor que Jesús no conozca, ni la caída de un cabello ni la muerte de un pajarillo son ignorados por Jesús. El se ocupa de cada uno de sus hijos. No importa si vives en medio de la selva de cemento de las grandes ciudades o en solitarias regiones del interior, el Señor Jesús siempre se interesa por ti.

A veces, herido por la vida, sin fuerzas para levantarte, incapaz de creer que hay salida, puedes sentirte tentado a pensar que nadie se preocupa por ti, mas no es verdad. El Señor Jesús se dirigió a aquella pequeña aldea preocupado por el sufrimiento de la viuda, y con certeza, se acercará también a ti.

Yo nunca tendré suficientes palabras para agradecer a Dios porque un día el Señor Jesús dejó todo en los cielos y vino a esta Tierra, a la miserable Naín, perdida en la inmensidad del universo, para buscarme. ¿Alguna vez imaginaste qué sería de nosotros si Jesús no hubiese decidido venir a rescatarnos? Estábamos condenados a muerte eterna. Nuestras promesas no cumplidas y nuestras buenas intenciones poco podrían hacer por nuestra salvación. Todo estaba perdido cuando vino Jesús trayendo la salvación.

Esto tiene que quedar bien claro en tu mente. No merecemos nada. Cualquier derecho que alguna vez hayamos tenido, lo perdimos cuando escogimos voluntariamente la muerte. A partir de la caída de nuestros primeros padres, todos nacemos con una naturaleza inclinada hacia el mal (Jeremías 2). Por más duro que parezca, nos deleitamos en vivir apartados de Dios, dando rienda suelta a nuestros instintos pecaminosos. Mas Jesús se compadeció de todos nosotros. Tomó nuestras rebeliones "y por su llaga fuimos nosotros curados" (Isaías 53: 5).

El texto bíblico continua relatando que cuando Jesús fue a Naín, "iban con él muchos de sus discípulos, y una gran multitud" (S. Lucas 7: 11).

Aquí encontramos dos tipos de personas que seguían a Jesús: los discípulos y la gran multitud. Los discípulos estaban comprometidos con Jesús en la misión. Ellos no seguían a Jesús solamente para ver qué pasaba. Jesús no era en la vida de ellos una experiencia más. Ellos dejaron todo para servirlo. Jesús era su única salida. Lo seguían de corazón, entregando todo el ser, aceptando las bendiciones y también los riesgos que implicaban seguir al Maestro.

Pero había otro grupo más numeroso de seguidores, aquellos que la Biblia identifica apenas como una "multitud". Era gente sincera, pero con intereses terrenales y pasajeros. Estaban allí, al lado de Jesús, pero no se comprometían. Nadie podía decir que eran, pero tampoco nadie podía afirmar que no eran.

Trayendo esta historia a nuestros días, podemos decir que ellos iban a la iglesia de vez en cuando, leían la Biblia ocasionalmente y estaban presentes en las reuniones para oír a algún predicador especial o algún grupo musical de renombre. Hablaban bien de la iglesia, hasta animaban a sus hijos a seguir el camino, pero ellos no se comprometían, no tomaban la gran decisión de su vida, no daban el gran paso de dejar la multitud y convertirse en discípulos.

Los argumentos de esas personas eran muy variados: "no tengo tiempo", "después que me jubile", "cuando termine la carrera", "el próximo año", en fin. Otros iban más lejos. Miraban a los discípulos y decían: "¿para ser como aquellos? No, yo prefiero quedarme aquí, observando de lejos".

Discípulos y multitud numerosa. ¿A cuál de estos dos grupos perteneces? Hoy vivimos los capítulos finales de la historia de este mundo. No hay más lugar para la indecisión. Es urgente abrir el corazón a Jesús y decirle: "Señor, yo te seguiré, no importa a dónde me lleves. Sé que el mejor lugar para mí será el lugar donde tú me lleves".

La narración bíblica continúa diciendo que Jesús se dirigió a la mujer y le dijo: "No llores". ¿Cómo no iba a llorar si estaba yendo hacia el cementerio para enterrar a su hijo? ¿Será que Jesús le pedía que dejara de lado sus sentimientos? ¿Acaso ella no tenía corazón? Claro que sí. Pero Jesús estaba presto a realizar el milagro de la resurrección del hijo de aquella mujer y era necesario que ella saliera de la desesperación para poder contemplar los grandes actos del Señor.

Aquí está la lógica divina que actúa en dirección opuesta a la lógica humana. Para el ser humano, el hijo debería resucitar primero para que la mujer dejase de llorar. Para Jesús, la mujer debía dejar de llorar para que el hijo resucitase.

A veces, las grandes soluciones que Dios tiene para ti, están al alcance de tu mano pero no consigues discernirlo porque la desesperación y la tristeza no te lo permiten. Después de la resurrección, Jesús se fue con dos discípulos en dirección a Emaús, pero ellos no discernieron quién era porque el pesimismo se lo impidió.

Cuando era misionero en la Amazonia de mi país, los indios me aconsejaron después de rescatarme de las aguas: "Pastor, la próxima vez que la corriente del río sea superior a sus fuerzas, repítase a sí mismo: 'no debo desesperarme, porque si lo hago, estaré perdido'. Déjese llevar por las aguas hasta sentir que está nuevamente en control de la situación". Los indios no sabían que aquel día me estaban dando un consejo que me serviría para muchas circunstancias de la vida. "No llores", "no desesperes". A veces, ni Dios puede hacer algo cuando la desesperación se apodera de ti. Por eso se enseña a los futuros salvavidas: "Si la persona que se está ahogando está muy desesperada, desmáyela de un golpe, porque si no ambos se ahogarán".

¿Estás en un momento de tu vida en el que ya no consigues dominar la difícil corriente de las circunstancias? Deja de llorar. Prepárate para ver grandes milagros.

Si te calmas y confías en Dios, verás que la solución de tus problemas puede estar más cerca de lo que imaginas. Un día Moisés estaba delante del mar Rojo sin saber qué hacer. De un lado estaba una montaña imposible de escalar, del otro lado también. Atrás, estaba un ejército imposible de derrotar y delante un mar imposible de cruzar. ¿No parecía todo perdido? Sí. Pero no era así. La solución estaba en sus manos. ¿Cómo? En sus manos tenía apenas una vara, mas esa vara, usada por Dios, abrió las aguas.

En otra oportunidad, una viuda estaba al borde de la miseria completa. El profeta le preguntó: "¿Qué tienes en casa?" "Nada, señor", dijo la mujer. "¿Cómo que nada?, algo debes tener". En ese momento, ella recordó que tenía un poco de aceite, y ese aceite, bendecido por Dios, fue la solución de su problema.

Ahora piensa, ¿cuál es el momento difícil que estás viviendo? Deja de llorar y piensa. Repasa tu escala de valores. Revisa tus conceptos y tus procedimientos. Cierra los grifos, evita el desperdicio. Aprovecha las cosas pequeñas. Quizá debes dar valor a lo que se consideras insignificante. En fin, coloca todo en manos de Jesús y avanza con fe rumbo al mar de lo imposible.

Cuando dejes de llorar y reorganices tu situación creyendo en el poder de Dios, entonces es la hora de esperar el milagro divino. Y entiende, mi amigo, que los milagros son hechos sobrenaturales. No tienen explicación. No se pueden comprender. Sólo es necesario aceptarlos.

"Levántate", ordenó Jesús al joven. Este es el Señor de la vida, encarando la muerte. Desde la entrada del pecado al mundo, la muerte ha traído dolor y tristeza al ser humano. Por casualidad, ¿tienes idea del dolor terrible que es enterrar a un hijo? ¿Tienes algún ser querido cuyo recuerdo todavía hace brotar lágrimas de tus ojos? Alégrate, porque este incidente protagonizado por Jesús es un anticipo de lo que sucederá cuando él vuelva a la tierra. La muerte ya no será capaz de apresar a nuestros seres queridos. Cuando el ángel haga sonar la trompeta, "los muertos en Cristo resucitarán primero". Así se cumplirá lo que dice San Pablo: "¿Dónde está, oh muerte, tu aguijón? ¿Dónde, oh sepulcro, tu victoria?" (1 Corintios 15: 55). Este incidente también muestra el poder de Jesucristo para restaurar los sueños perdidos.

Mientras me preparaba para predicar en una cruzada evangélica en el Maracanãzinho, en Río de Janeiro, se me acercó una madre muy afligida, suplicando que el Espíritu de Dios pudiese alcanzar a su joven hijo que —para poder sobrevivir— se quitaba la ropa todas las noches en un club para mujeres en Copacabana. Esa noche, el joven estaba presente en medio de 25.000 personas que colmaban el Maracanãzinho. Para aquella madre todo parecía perdido. El hijo había nacido en la iglesia y había sido presentado al Señor a los pocos días. Con amor y dedicación, los padres lo habían instruido en los caminos de Jesús, pero la vida y las malas compañías se habían encargado de llevar a ese joven a vivir noches infernales en el submundo de la promiscuidad y el vicio.

Pero esa noche el Espíritu de Dios trabajó en el corazón de aquel joven. Sentado en las gradas, sintió el terremoto del Espíritu en su vida. Luchó como un caballo salvaje para huir del Señor, pero no lo consiguió. Poco después me encontré nuevamente con la madre que emocionada me contó sobre el regreso de su hijo.

"¡Hijo levántate!", dijo Jesús. ¿Eres tú, por casualidad, el hijo que necesita despertarse? ¿El que siente que su ser entero está como muerto? ¿Las lágrimas de tus afligidos padres no te conmueven más? ¿Tú mismo estás asustado de la frialdad de tu corazón? ¿Te sientes un cadáver espiritual?

Bueno, llegó la hora de escuchar la voz del Señor en tu vida. Un nuevo día de oportunidades se abre delante de ti. Sal de tu indiferencia, libérate de prejuicios, deja a un lado los temores y comienza a vivir de nuevo.

La parte final de la historia de la viuda de Naín registra que el Señor restituyó el hijo a su madre. Restituir es devolver lo que se había perdido. ¿Alguna vez experimentaste la alegría de recuperar lo que se te había perdido? No tenías más esperanza de encontrarlo. En cierta forma, estabas ya resignado con la situación y de repente alguien aparece con el objeto perdido.

Imagínate entonces la alegría de aquella madre. Imagina los gritos de emoción y las lágrimas de felicidad. Cierra tus ojos e imagina el abrazo de la madre con su hijo. La multitud queda muda de sorpresa, hay lágrimas en todos los ojos. Hay un nudo en la garganta de los discípulos. Aquel es el Señor que da vida, el de los milagros y el de los casos imposibles. El dejó la gloria y vino a este mundo justamente para eso. Para devolvernos la alegría. Para restituir los valores, los principios y la esperanza en el futuro. Cuando las sombras de la noche llegan y parece que todo está perdido, él es Jesús, el Salvador, y no hay otro.

Por eso, en estos tiempos de incertidumbre y sombras, de violencia y desamor, de guerras y rumores de guerras, tú necesitas ver a Jesús y saber que él aún está en control del universo.

Capítulo 6

EN LA HORA
DE LA MUERTE

Jairo era un hombre famoso y muy conocido en la ciudad. Era el jefe de la sinagoga. Tenía un nivel de vida envidiable y a todas luces debería haber sido un hombre feliz. Pero el mundo ignoraba la inmensa tristeza que consumía su corazón. Su hija adolescente estaba condenada a muerte y nadie lo sabía.

Todos los días salía para cumplir con sus responsabilidades. Saludaba a las personas en la calle: "¿Cómo está?" preguntaban, "bien", respondía. Era el líder religioso de la ciudad, debía sonreír siempre, aconsejar, guiar. Todo eso formaba parte de su trabajo.

Esta vida y sus presiones, mi amigo, nos enseñan a vivir, escondiendo a veces nuestros verdaderos sentimientos. Casi lo hacemos como un mecanismo de defensa. Vivimos en un mundo donde no hay lugar para las debilidades. ¡Cuántas veces nos parece que el corazón va a explotar de tristeza, que las lágrimas insisten en salir, pero nos enseñaron desde pequeños que "los hombres no lloran"! Idolatramos a los vencedores. El cine nos presenta héroes de papel, sin sentimientos, cuya única obsesión en la vida es ser más fuertes que los otros, y esto nos hace tener miedo de mostrar nuestros sentimientos o aceptar lo que verdaderamente tenemos en el corazón.

Cuando somos niños, somos auténticos. Haz una prueba si quieres. Reúne a cinco niños y dales seis porciones de torta. Cada uno de ellos comerá su pedazo lo más pronto posible para poder quedarse con el que sobra. Así son los niños, se muestran como son, sin disfraz. Cuando están tristes, lloran, y cuando algo no les gusta, lo demuestran. Pero coloca cinco adultos y seis porciones de torta. Cada uno tomará su porción con delicadeza, comerá sin prisa, y cuando terminen, ninguno se atreverá a tomar el pedazo sobrante; incluso si alguien se lo ofreciera, lo rechazarían con una sonrisa. Este es el mundo en el que tenemos que aprender a sobrevivir. "Nunca demuestres cuán enamorado estás de una joven —aconsejan los expertos—. "Confía desconfiando", "no te entregues completamente", "guarda siempre una carta debajo de la manga". ¿Sabes lo que significa todo eso? Esconde tus verdaderos sentimientos, disfrázalos hasta donde puedas porque, según la cultura moderna, esa es la única manera de no resultar herido en esta vida.

El otro día una joven me decía: "Pastor, no soporto más, en la iglesia todos los jóvenes me buscan, pues siempre tengo una palabra de ánimo, estoy siempre aconsejando, orientando y orando por todos, pero en el fondo soy una persona infeliz, no tengo nada para dar, me siento hipócrita y falsa. ¡Por favor, ayúdeme"!

Este es el clamor de mucha gente. ¿Por qué un esposo ideal, padre maravilloso, buen miembro de iglesia y ciudadano honesto, después de 30 años de casado, de repente tira todo por la borda y desaparece abandonando a su familia? Aparentemente no existe explicación, pero el otro día recibí una carta de un hombre en esas circunstancias, y decía: "Durante 30 años fingí, aparenté y escondí lo que sentía dentro de mí. Fui un buen padre y un excelente marido, pero nunca fui feliz. De repente, un día me dije: 'Es hoy, tiene que ser hoy', y decidí mostrarme como realmente soy".

Volvamos al caso de Jairo. La Biblia no nos da detalles, pero nos permite imaginarlo buscando ayuda con los mejores especialistas de sus días. Es difícil para mí imaginar cómo se siente un padre que ve a su hijo adolescente apagarse lentamente, porque nunca pasé por una experiencia semejante. Si hoy un médico me dijese que mi madre tiene dos meses de vida, me pondría muy triste pero de alguna manera lo aceptaría; al fin de cuentas, ella ya vivió muchos años, y sé que tarde o temprano se irá al descanso. Pero si un médico me dijera hoy que mi joven hijo de 19 años tiene apenas dos meses de vida, no sé cuál sería mi reacción.

Si has perdido a un hijo de esa edad, piensa entonces cómo se sentía Jairo cuando el médico le dijo: "Jairo, no pierdas más tiempo, regresa a tu casa y aprovecha cada minuto para estar al lado de tu hija, porque le quedan solamente dos meses de vida".

La desesperación de Jairo fue grande. "Tiene que haber una salida", pensaba. Y fue en esas circunstancias que se acordó de Jesús. En realidad, ya había oído hablar de Jesús, de sus milagros y de cómo él restauraba a los enfermos. Pero los seguidores de Jesús eran gente sencilla; pescadores, prostitutas, hombres del pueblo, que sólo tienen en la vida un poco de esperanza. ¿Cómo él, el poderoso, culto e inteligente Jairo, se juntaría con ese tipo de personas? Hoy las cosas han cambiado mucho, porque existen médicos, universitarios, empresarios; todos cultos y famosos, que son cristianos. Pero en los tiempos de Cristo era una vergüenza seguir a Jesús. Nicodemo lo buscó de noche para no ser visto por otras personas. José de Arimatea confesó su fe sólo después de la muerte de Cristo. ¿Te das cuenta? ¿Cómo podría Jairo correr detrás de Jesús pidiéndole ayuda? El era un líder. Se supone que los líderes no son guiados, sino que guían; y no son ayudados, sino que ayudan. Pero este era un líder humano, y como todo humano estaba pasando por una noche oscura. Solo, en aquella hora de desesperación, se dio cuenta de la trágica realidad. Su posición de liderazgo era una gran barrera para llegar a Jesús.

Cuántas personas sufren como Jairo en esta vida. Necesitan desesperadamente de Jesús. Saben que él es la única persona que puede ayudarlos, pero viven prisioneros de prejuicios y temores. ¿Cómo entrar en una iglesia de cristianos? ¿Cómo ir desde su casa hasta la iglesia con una Biblia en la mano? ¿No hace eso generalmente la gente sencilla que va de la religión al fanatismo?

Jairo sabía que Jesús era su única salida. Ya había intentado todo y nada daba resultado. ¿Por qué no intentar con Jesús? Las personas son capaces de todo cuando pasan por dificultades. En las reuniones de *macumba*, en Bahía, puedes ver por las noches autos de lujo cuyos dueños, empresarios, artistas de TV; gente linda, rica y famosa, van para participar de rituales grotescos, pues alguna cosa no anda bien en sus vidas. En los países orientales existen personas que caminan entre brasas vivas, y en otras partes del mundo, millones apelan a los sacrificios, penitencias y peregrinaciones en el intento de resolver sus problemas. ¿Por qué entonces Jairo no habría de abandonar todos sus prejuicios y correr hacia Jesús? Fue lo que hizo. La narración bíblica dice "y vino uno de los principales de la sinagoga, llamado Jairo; y luego que le vio, se postró a sus pies, y le rogaba mucho diciendo: mi hija está agonizando, ven y pon las manos sobre ella para que sea salva y vivirá" (S. Marcos 5:22-23).

Aquí hay un detalle que pasa inadvertido para mucha gente. Aparentemente Jairo había vencido todas sus barreras y estaba sometiéndose al liderazgo de Jesús. Aun más, estaba arrodillado delante del Maestro. Pero a pesar de eso, el viejo Jairo continuaba queriendo dirigir la situación. El no fue a Jesús a decirle: "Señor, estoy aquí, necesito de ti, sea hecha tu voluntad en mí". Por el contrario, fue a Jesús con un método predeterminado: "Te ruego que vengas y le impongas las manos para que sea salva y vivirá", dijo. Arrodillado, rogando, Jairo quería continuar controlando la situación, ¿te das cuenta?

Tal vez este sea uno de los mayores males del cristianismo: falta de sujeción a la voluntad divina. La vida cristiana no es nada más que el compañerismo diario con Jesús. Andar y convivir con él diariamente. Pero la pregunta que necesitamos respondernos a nosotros mismos es la siguiente: ¿Quién guía en este camino? ¿Quién tiene los controles? ¿Quién conoce mejor el camino? El profeta Miqueas escribe: "Oh hombre, él te ha declarado lo que es bueno, y qué pide Jehová de ti: solamente hacer justicia, y amar misericordia, y humillarte ante tu Dios" (Miqueas 6:8).

¿Qué significa humillarte ante tu Dios? ¿La voluntad de quién debe sujetarse a quién? Vivimos hoy en día en una cultura secularista que domina al mundo. El secularismo no niega la existencia de Dios, simplemente lo considera. descartable. Dios está en todo, según el secularismo; en las estrellas, en el sol, en las pirámides, dentro tuyo, en el aire, en fin, Dios no es más que una energía positiva. No es una persona. Por lo tanto, si es una energía, tú puedes usarlo cuando quieras, pero no precisas someterte a su voluntad, porque la energía no tiene voluntad, tiene apenas poder.

Siendo así, el secularismo proclama el pluralismo, que resultó en el relativismo, que proclama el derecho de cada uno de buscar su propia verdad. Sólo que al mismo tiempo enseña que no existe la verdad absoluta y paradójicamente, aunque te anima a dedicar tu vida a la búsqueda de la verdad, acusa a aquellos que pretenden haberla hallado en la Biblia de formales, radicales, intransigentes, cuadrados, intolerantes e incultos.

El relativismo creó una cultura que no cree que lo cierto y lo errado son absolutos, sino que acepta todas las maneras de pensar mientras que no sea la de aquellos que encuentran que la Palabra de Dios es la verdad. Desde ese punto de vista, hoy se acepta con mayor naturalidad la homosexualidad, la pornografía, el adulterio, el divorcio y el aborto.

La Biblia presenta a un Dios absoluto, con una verdad absoluta, algo que nuestra generación no quiere aceptar. El 70 por ciento de los jóvenes de hoy no cree en verdades absolutas. Todo es negociable. Alam Bloom, profesor de la universidad de Chicago dice: "Sólo existe una cosa sobre la cual un profesor puede estar absolutamente seguro en la Universidad, y es el hecho de que casi todos los alumnos creen que la verdad es relativa. Algunos son religiosos, otros ateos, algunos son de izquierda, otros de derecha, pero todos están unidos por el relativismo".

Cuando la historia bíblica nos presenta a un Jairo arrodillado, suplicando un favor, pero queriendo dirigir a Jesús, Dios nos está advirtiendo contra el gran peligro que el cristiano corre al permitir que los tentáculos del secularismo, o pluralismo, o relativismo asfixien a la iglesia en medio de alabanzas, oraciones y estudios de la Biblia.

En Estados Unidos y en algunos países de Europa existen hoy iglesias "cristianas" de homosexuales y lesbianas. Líderes religiosos llamados cristianos están realizando casamientos de personas del mismo sexo. Los países del mundo comienzan a hablar con mucho énfasis de aquello que es "políticamente correcto". Según esta manera de pensar, es políticamente correcto ser tolerante con todo y con todos. Es políticamente correcto escoger la conducta sexual sin tomar en cuenta lo que Dios dice. Incoherentemente, estas personas no toleran tan fácilmente a los que aceptan la Palabra de Dios como regla de fe y autoridad.

La experiencia de Jairo responde también a una pregunta que perturba a muchos cristianos. ¿Por qué existen tantas iglesias en el mundo si la Biblia es una sola? La respuesta es: Porque como Jairo, tal vez estamos queriendo recibir bendiciones divinas, pero no queremos someternos a su voluntad. A veces, cuando encontramos un pasaje bíblico que contiene una verdad desconocida para nosotros o que va en contra de todo lo que creíamos, tendemos a encontrar cualquier justificativo para no obedecer. Aceptamos de la Biblia todo aquello que nos conviene o está de acuerdo con nuestra manera de pensar, pero rechazamos discretamente todo aquello que no se ajusta a nuestros conceptos.

El profeta Miqueas habla de andar "humildemente" con Dios. Es Dios quien debe estar siempre en el control. El es el que debe mostrarnos el camino, porque sólo él es: "El camino, la verdad y la vida". Y Dios sólo puede mostrarnos el camino a través de su Palabra Escrita. "Tenemos también la palabra profética más segura, —afirma San Pedro—, a la cual hacéis bien en estar atentos como a una antorcha que alumbra en lugar oscuro, hasta que el día esclarezca y el lucero de la mañana salga en vuestros corazones" (2 S. Pedro 1:19).

Si tú quieres someter tu vida a la voluntad divina, consigue una Biblia y con oración humilde, deja que el Espíritu Santo te ayude a entender el mensaje que Dios tiene para ti. No intentes acomodar las enseñanzas bíblicas a tu manera de pensar y de vivir, por el contrario, acomoda tu manera de pensar y de vivir a las enseñanzas bíblicas. Compara un pasaje con otro que hable del mismo tema. Nadie puede construir una doctrina fundamentado en un solo versículo, porque a veces ese versículo, estudiado dentro del contexto y analizado a través de otros pasajes que hablan del mismo tema, dirá algo diferente de aquello que parecía decir a primera vista. Y confía en esta preciosa promesa: "Y si alguno de vosotros tiene falta de sabiduría, pídala a Dios, el cual da a todos abundantemente y sin reproche, y le será dada" (Santiago 1:5).

La historia de Jairo nos muestra la manera como Dios finalmente nos quiere llevar hacia una experiencia cristiana madura, centralizada en la sumisión a Jesús. El Maestro no dejó de atender el clamor de Jairo a pesar que él no estaba sometiendo su vida a la soberanía divina. Jesús iba con Jairo tranquilamente, atendiendo el clamor de todos aquellos que encontraba en el camino. Jesús parecía no tener prisa y Jairo se ponía cada vez más nervioso, porque cuando salió de su casa, su hija estaba muriendo.

Yo imagino que Jairo tomó a Jesús del brazo e intentó llevarlo a toda prisa. Aquí está nuevamente el líder marcando el ritmo y diciendo cómo deberían ser las cosas. "Te ruego que vengas y pongas las manos sobre ella para que sea salva y vivirá". Había dicho eso al comienzo y ahí estaba ahora, intentando controlar la situación.

Pero la Biblia dice que de repente Jesús se detuvo para atender el clamor silencioso de una mujer que por muchos años sufrió de hemorragia y que había tocado con fe la ropa del Maestro. Creo que en aquel momento, Jairo entró en desesperación. Hasta entonces Jesús estaba caminando, lentamente, pero avanzando. Pero ahora se detuvo y preguntó: "¿Quién ha tocado mis vestidos?", y las personas comenzaron a mirarse unas a otras.

Mientras que todo esto sucedía, "vinieron de casa del

principal de la sinagoga, diciendo: Tu hija ha muerto; ¿para qué molestas más al Maestro?" (S. Marcos 5:35).

La muerte, mi amigo, incluso para los que creen en la resurrección, siempre parece ser el fin de todo. "Mientras hay vida, hay esperanza", dice la gente, y es verdad. Mientras que el ser querido vive, somos capaces de hacer cualquier cosa para salvarlo, pero ¿qué nos queda después de la muerte, sino llorar y resignarnos?

Pero Jesús vino a este mundo para derrotar a la muerte. Para enseñarnos que la muerte puede ser cruel, traicionera e injusta, pero que no es el fin de todo, porque existe la esperanza de la resurrección.

Cuando Jairo recibió la noticia de la muerte de su hija, se entregó. Dejó de luchar y de controlar situaciones. En ese momento se sometió completamente a la voluntad divina, y ahí Jesús tuvo oportunidad de obrar en aquella vida obstinada. "No temas —dijo Jesús—, cree solamente" (S. Marcos 5:36). Y a partir de ese momento, no era Jairo quien intentaba conducir a Jesús, era Jesús quien dirigía a Jairo hacia una experiencia de fe.

Imagina conmigo ahora: Jesús y Jairo entran en el cuarto de la hijita muerta. Imagina las lágrimas silenciosas de un padre que dolorosamente, al precio de la vida de su querida hija, había aprendido a "andar humildemente" con Jesús.

Ahí estaba nuevamente el Dios de la vida, ante la muerte. ¡Oh muerte, tú puedes arrancar hoy lágrimas de dolor y de amargura. Hoy puedes aparentemente ser soberana entre los hombres. Hoy puedes ser misteriosa, invencible, fatal, pero tus días están contados porque Jesús, el Dios de la vida, regresará, y en su presencia, tú no serás más. Derrotada para siempre, tendrás que devolverme a mi padre que arrancaste de mis brazos y al amigo querido que te llevaste! "Porque el Señor mismo con voz de mando, con voz de arcángel, y con trompeta de Dios, descenderá del cielo; y los muertos en Cristo resucitarán primero" (1 Tesalonicenses 4:16).

La resurrección de la hija de Jairo es un símbolo de la resurrección de todos los hijos de Dios que la muerte se llevó a lo largo de la historia del pecado. Es un pequeño anticipo de lo que será la mañana gloriosa en la que podrás abrazar a tus seres queridos de todos los tiempos.

Es por esto que en estos días de tinieblas morales y violencia, cuando la vida parece valer poco, cuando se mata por un dólar, cuando el amor auténtico desaparece entre las sombras de las pasiones humanas, es hora de mirar a Jesús. Es hora de verlo glorioso, regresando para devolver la vida a sus hijos. En estos días cuando por más que la ciencia avance, la muerte continúa siendo una realidad irrefutable de la que nadie puede escapar, es hora de ver a Jesús que resucita a sus hijos para darles la verdadera inmortalidad.

Capítulo 7

EN MEDIO DE
LA TORMENTA

*H*ay momentos en que todo se ve oscuro. Miras alrededor y sólo ves sombras. No hay luz por ningún lado. Es el caos. Da la impresión de ser un túnel sin salida o un pozo sin fondo. Deudas, desempleo, dificultades familiares, depresión, en fin, dan ganas de acostarse a dormir y no despertar más. En esos momentos, el incidente que vivieron Jesús y sus discípulos en el mar de Galilea sin duda otorga la certeza de que el dolor pasará y mañana será un nuevo día.

El relato bíblico comienza diciendo que después de haber despedido a la multitud, Jesús se retiró aparte, y cuando llegó la noche estaba solo. ¿De dónde provenía el poder que Jesús mostraba en su vida y en las obras prodigiosas que realizaba? Por favor, no digas que él tenía poder porque era Dios. Claro que era Dios. Plenamente Dios y plenamente hombre. En ningún momento perdió sus poderes divinos ni los atributos inherentes a su naturaleza de Dios. Pero cuando el Hijo vino a esta tierra, estableció un pacto de amor con el Padre, según el cual nunca usaría sus poderes divinos sin el consentimiento del Padre. Por lo tanto, el poder de su vida y sus milagros no provenían del hecho de ser Dios, sino de su constante comunión con su Padre. Por eso, cuando todos se iban a dormir, él se arrodillaba y pasaba horas hablando con Dios.

Al día siguiente, Jesús descendió al valle lleno de personas sufrientes, enfermas y desesperadas, con poder para confortar, curar y transformar vidas. El enemigo podía soltar contra él toda su ira, intentando destruirlo con toda clase de tentaciones, pero Jesús siempre vencía.

Jesús vino a esta tierra no solamente a enseñarnos que debemos vivir una vida de obediencia, sino también a mostrarnos cómo hacer para vivirla. El secreto es la comunión diaria e ininterrumpida con el Padre.

Pero mira cómo son las cosas: Jesús, que teóricamente, por ser Dios, no necesitaba orar tanto, pasaba a veces noches enteras orando, mientras que los discípulos, que por ser seres humanos necesitaban más de la oración, estaban en el mar conversando entre ellos.

Siempre fue así. El secreto para vivir una vida poderosa de obediencia está en la dependencia constante del poder del Padre, pero nosotros, seres humanos, no estamos interesados en las cosas espirituales. Somos independientes por naturaleza, nos gusta dirigir nuestro propio camino y generalmente resultamos heridos y lastimados.

Cierta vez, un joven me preguntaba: "Pastor, ¿cómo puede alguien orar tres o cuatro horas? Yo no puedo. Me arrodillo para orar y en dos minutos mi oración se acaba, ¿cuál es el problema conmigo?"

¿Sabes por qué no puedes orar por mucho tiempo? Porque estás encarando la oración como un deber o un ritual que el cristiano debe cumplir y no como la maravillosa experiencia de "conversar con Dios como con un amigo".

¿Sobre qué conversan los amigos cada vez que se encuentran? ¿Repiten siempre las mismas frases? ¿Repiten el mismo tema hasta el punto que uno sabe anticipadamente lo que va a decir el otro? No, no es así. Los amigos siempre tienen un nuevo tema para discutir. Nadie considera un "deber" conversar con un amigo. Por el contrario, es un privilegio y un placer. "Deber" es conversar con un patrón, pero nunca con un amigo.

Tal vez aquí están los problemas de comunicación con Dios. El no quiere ser apenas un patrón. No es un Dios sentado en un trono, investigando la vida de sus criaturas. El quiere ser, por encima de todo, un Padre y Amigo. Y cuando un hijo considera un "deber" conversar con su padre, esa relación requiere ser restaurada con urgencia.

La próxima vez que te arrodilles para conversar con Dios, prueba dialogar con él como con un Padre amigo. Cuéntale tus sueños y planes, tus tristezas, encuentros y desencuentros. Abrele las cámaras más íntimas de tu corazón, cuéntale los pensamientos más íntimos que no te animas a decírtelos ni a ti mismo, refúgiate en sus brazos como un hijo indefenso, llora en su hombro. Después, al terminar, no tengas prisa. Espera un poco, intenta sentir en tu corazón el trabajo del Espíritu Santo. Sólo así estarás en condiciones de enfrentar las tormentas de la vida sin temor.

Analicemos ahora la situación de los discípulos en el mar de Galilea. Estaban en alta mar, era ya tarde en la noche y el cielo se oscureció completamente. El texto bíblico dice que ellos estaban "cubiertos por las olas", aparentemente sin salida, cuando Jesús apareció para socorrerlos en la cuarta vigilia de la noche.

Los judíos en aquel tiempo dividían la noche en cuatro vigilias. De las 6.00 a las 9.00, la primera vigilia; de las

9.00 a las 12.00, la segunda vigilia; de las 12.00 a las 3.00, la tercera vigilia; y de las 3.00 a las 6.00, la cuarta vigilia. ¿Qué hora piensas que era cuando apareció Jesús? Debe haber sido más o menos las 5.00 de la mañana, ¿sabes por qué? Porque el momento más oscuro de la noche es pocos minutos antes de la salida del sol. Por otro lado, aquellos discípulos eran hombres de mar, expertos pescadores. No se asustaban por una simple tormenta. Imagino que a las 9.00 de la noche, cuando la tormenta comenzó, ellos no se amedrentaron. El agua entraba en la embarcación pero ellos la sacaban inmediatamente. No obstante las horas pasaban y la tormenta no cedía. A la medianoche, la situación se ponía seria, pero aún tenían el control de las cosas. Sin embargo, el tiempo seguía pasando, 2, 3, 4 de la mañana. ¿Sabes? Tú puedes resistir las dificultades de la vida hoy y mañana. Puedes enfrentarlas con vigor por un año o dos, pero si eres un ser humano normal, llegarás a experimentar momentos de desánimo y debilidad. Eso fue lo que sucedió con los discípulos. En la cuarta vigilia, en el momento más oscuro de la noche, sin más fuerzas para luchar, cansados, extenuados y después de haber pasado la noche entera sin dormir, se entregaron a las circunstancias. En medio de aquella tormenta no se veía la luz, no había salida y, precisamente ahí fue cuando apareció Jesús.

El siempre aparece en la cuarta vigilia de nuestras vidas. Por lo tanto, si estás viviendo uno de aquellos momentos en que parece que ya no hay más fuerzas, si ya has hecho todo para salvar tu matrimonio o sacar a tus hijos de la triste situación en la que se encuentran, si ves la ola de deudas cubriendo la empresa por la cual luchaste toda tu vida, y estás aparentemente sin salida; alégrate amigo, porque Jesús está por aparecer en cualquier momento. El siempre aparece en el momento más oscuro.

Pero, ¿por qué?, ¿por qué permite que yo llegue al límite

de mis fuerzas? Porque cuando tengo fuerzas generalmente no le doy lugar a Jesús y prefiero luchar solo. ¿Para qué recurrir a Jesús si existen las compañías financieras? ¿Para qué ir a Jesús si aún tengo salud y vida? ¿Pero qué hacer cuando todas esas puertas se cierran? ¿Qué hacer cuando la tormenta dura toda la noche y comienzo a sentir miedo? Es solamente en la fragilidad total del ser humano cuando Jesús puede obrar.

Las cosas funcionan del mismo modo en la vida espiritual. A veces queremos ser victoriosos confiando en nuestras propias fuerzas. Luchamos en base a nuestra moralidad y disciplina propia. Prometemos, decidimos, y nuestras promesas no pasan de ser castillos de arena que se derrumban al primer soplo. Los años pasan y un día llega el desánimo. Podemos fingir, aparentar, simular, pero no podemos huir ni de Dios ni de nosotros mismos, y allí caemos arrodillados y clamamos: "Señor, hazlo tú por mí, porque yo no tengo más fuerzas para luchar solo". En aquel momento, en la cuarta vigilia, cuando pensamos que nunca lo conseguiremos, Jesús completa la obra de salvación que un día inició en nuestras vidas.

El apóstol Pablo ilustra de manera dramática la lucha espiritual del ser humano. "Crucifica al viejo hombre", aconseja. Muy bien, toma un martillo y clavos y trata de crucificarte solo. Podrás clavar tus pies y tal vez una de tus manos, ¿pero como clavas la mano que queda? Podrás pasar toda la vida intentándolo y nunca lo conseguirás, y en la cuarta vigilia de tu vida, si pides ayuda, Jesús aparecerá y terminará la obra.

En otra ocasión, Pablo ilustró la lucha del cristiano diciendo que debemos ser "sepultados". Pues bien, intenta sepultarte a ti mismo. Una y otra vez, a lo largo de toda la vida, intentarás hacerlo y no lo conseguirás, pero si estás cansado de luchar solo, clama a Jesús, él vendrá y hará lo que tú nunca fuiste capaz de hacer por tus propias fuerzas.

Espero que cuando Jesús aparezca tú estés preparado para recibirlo, porque los discípulos no lo estaban. Jesús venía a salvarlos y ellos gritaron asustados: "Es un fantasma". No sé cómo esperaban ellos que Jesús apareciese en sus vidas, lo que sí sé es que nunca imaginaron que Jesús llegaría caminando sobre el agua. Sólo que Jesús no aparece como nosotros creemos que debe aparecer, sino como él, en su sabiduría sabe que debe hacerlo. Tal vez nunca entenderemos sus planes pero podemos saber que lo que él hace es para bien de sus hijos.

Tal vez para mí sea muy fácil decir esto, porque por el momento disfruto de buena salud y de las bendiciones de Dios que son abundantes en mi vida, pero me imagino un cuadro como éste. Mi hijo sufre un accidente y el médico me llama aparte, coloca su brazo en mi hombro y me dice: "Pastor, sólo un milagro puede salvar a su hijo". Inmediatamente me arrodillo y paso horas en oración. Oro con fe. Estoy pasando el momento más oscuro de mi vida y tengo la certeza de que Dios no me fallará. "Señor, salva a mi hijo", oro con lágrimas. A la mañana siguiente, corro hacia el hospital y en el pasillo encuentro al médico que con tristeza me dice: "hicimos lo que pudimos, pero su hijo murió". En el momento más oscuro de mi vida clamé al Señor y mi pregunta es: ¿apareció él, o no? Yo quería que apareciese en la forma de la recuperación de la salud de mi hijo, pero él murió. ¿Atendió Jesús mi súplica de padre angustiado? ¿Puedo ver a Jesús a través de las lágrimas? ¿Puedo distinguirlo al lado del cadáver de mi hijo?

Clamar a Jesús es muy fácil. Lo difícil es aceptar su respuesta. A veces, cuando no responde como queremos, pensamos que es un "fantasma". No conseguimos divisarlo a través de las circunstancias adversas, queremos las respuestas ahora, aquí, y de la manera que nosotros creemos que es la mejor.

Pero Jesús apareció en la vida de sus discípulos soberano como él es, "andando sobre las aguas". Allí fue donde brilló la figura del discípulo Pedro. "Señor —dijo—, si eres tú, manda que yo vaya a ti sobre las aguas". Y Jesús le dijo: "Ven". El siempre está diciéndonos "ven". Siempre está intentando sacarnos del materialismo, de las cosas que vemos para transportarnos hacia las cosas invisibles a los ojos humanos que sólo pueden ser percibidas por la fe.

La vida cristiana es un camino de fe. Si no, ¿cómo guardar el sábado* cuando todo el mundo guarda el domingo? ¿Cómo devolver a Dios la décima parte de nuestras ganancias cuando ni el total nos alcanza para vivir? ¿Cómo conservar la pureza en el mundo cuando ser puro es sinónimo de ser ingenuo, y cómo ser honesto cuando la honestidad es confundida con la estupidez? Pero justamente es a esa dimensión maravillosa de fe donde el Señor quiere llevar a sus hijos. Por eso le dijo a Pedro: "Ven". Y Pedro dejó de lado sus cálculos humanos, su razonamiento científico, fue en contra de todas las leyes físicas y caminó sobre las aguas. Este era un milagro, y los milagros no tienen explicación. Los milagros quebrantan las leyes físicas. Según la ley física, Pedro debería hundirse, pero de acuerdo a los principios inexplicables de la fe, caminó sobre las aguas, quebró las leyes naturales e hizo aquello que humanamente era imposible.

¿Por casualidad te toca hacer algo en tu vida que a los ojos humanos parece imposible? ¿Es imposible dejar de fumar o abandonar las drogas? Tú sabes que te están destruyendo. ¿Has intentado dejar todo eso, has hecho todo lo que tus fuerzas te permitieron, pero sin éxito? Bueno, ¿qué tal si pruebas, en este momento, oír la voz divina que te dice: "ven", sal de tu fracaso, deja la mediocridad, desecha los prejuicios, abandona los temores y ven al encuentro de Jesús?

En cierta ocasión, vino a verme una mujer que le era infiel a su esposo. Luchaba inútilmente contra un sentimiento que parecía ser imposible de vencer. Prometía mil veces que todo cambiaría, pero sus promesas duraban poco. Cuando vino a hablar conmigo, estaba prácticamente resignada y aceptaba la derrota como algo inevitable.

"¿Por qué no dejas todo en las manos de Dios?", —le pregunté, y ella casi desesperada me respondió: "Ya lo hice pastor, pero no dio resultado". "¿Cuánto tiempo pasas con Dios cada día en oración y leyendo la Biblia?" continué, y confirmando lo que ya suponía, respondió: "Ah pastor, ya no tengo ganas de orar ni de leer la Biblia".

¿Qué significa para ti dejar todo en manos de Dios? ¿Cómo puede alguien pensar que está confiando y fijando sus ojos en Jesús, si no pasa tiempo con él? Es fácil confundir entrega con mediocridad espiritual. Entrega significa mirar a Jesús y decir: "Señor, no tengo fuerzas para vencer este o aquel hábito, no logro cumplir mis promesas, no puedo, y porque no puedo por mí mismo, vengo a ti y paso horas hablando contigo y contándote acerca de mi insuficiencia". Entrega, mi amigo, no es simplemente cantar un himno de vez en cuando, orar cinco minutos por día o ir alguna que otra vez a la iglesia. Eso no pasa de ser mediocridad espiritual. No es así que se mira a Cristo y no es de ese modo que conseguirás realizar lo imposible.

Pedro fijó sus ojos en Jesús y logró caminar sobre las aguas. ¿Cómo puedes fijar los ojos en Cristo y vencer el mar de dificultades? Primero, separa tiempo cada día para conversar con Dios. Ábrele tu corazón y cuéntale quién eres tú, qué estás sintiendo, cuáles son tus luchas diarias. En segundo lugar, abre cada día la Biblia y aliméntate de la Palabra de Dios. Lleva al Libro Sagrado a la primera persona del singular. Aplica cada versículo leído a tus necesidades presentes. Coloca tu vida en las páginas de la Biblia. Cuando leas sobre Daniel, tú serás Daniel. Imagínate en la corte del rey de Babilonia luchando por tu fe, y trae la historia hacia el presente. ¿Cuál es la corte que tú debes enfrentar hoy? En fin, no leas la Biblia como si fuese apenas un deber cristiano, léela como la carta de amor que Jesús dejó para ti.

La tercera manera de fijar los ojos en Cristo es conservando siempre música cristiana en el corazón. La música es uno de los mejores instrumentos que existen para grabar mensajes. Las grandes marcas comerciales usan la música en las propagandas para fijar los mensajes de sus productos en la mente humana. El enemigo de Dios también usa la música para colocar en la mente mensajes de promiscuidad, homosexualidad, amor barato, destrucción de los principios y ridiculización de los valores espirituales. Por lo tanto, oye himnos que hablen del amor de Jesús y del poder que él tiene para transformar vidas, repite la letra a lo largo del día, cuando viajas o haces cualquier cosa, y graba de esta manera los mensajes edificantes en tu vida.

La cuarta manera de conservar los ojos fijos en Cristo es participar de los cultos de la iglesia. Reúnete con otros cristianos, canten y oren juntos. Sean alimentados por el estudio de la Palabra de Dios y comprométete con la vida y las actividades de la iglesia. Por más que sientas que siempre oyes las mismas palabras, vuelve. A pesar de que a veces notas incoherencias en la vida de algunos cristianos, sigue participando de las reuniones y crecerás en tu fe.

El quinto consejo para mantener los ojos fijos en Cristo es tal vez el más desatendido. Muchos cristianos limitan su vida devocional a la oración, a la Biblia, a cánticos espirituales y de la iglesia, pero nada más. No dedican tiempo para contar a otros las maravillas que Jesús hace en sus vidas, y está comprobado que el cristiano que no testifica, tarde o temprano pierde las ganas de orar y de leer la Biblia, y consecuentemente, debilita su vida espiritual.

Testificar no es una opción. Es una necesidad. Si tú me dices: "estoy vivo, pero no respiro", tendré mucha dificultad en creerte. Y si tú afirmas: "soy un cristiano pero no testifico", es igualmente difícil de comprender, porque no existe un cristianismo sano en la vida de la persona que no le cuenta a otros acerca del amor de Jesús.

El testimonio diario crea en ti la necesidad de buscar a Jesús a través de la oración y del estudio de la Biblia. El testimonio es el preservativo de la experiencia espiritual.

Si guardas en una lata duraznos con agua, después de un tiempo estarán podridos. Pero si además de los duraznos y el agua, agregas un preservativo y sigues un proceso de enlatado, tendrás siempre una deliciosa compota.

Pedro fijó sus ojos en Cristo y fue capaz de caminar sobre las aguas. No veamos aquel incidente como una historia más. Puede ser una experiencia de vida hoy. Conozco personas que después de conocer a Jesús, cultivaron diariamente su vida devocional, fijaron sus ojos en Cristo, y consiguieron vencer dificultades que parecían imposibles. Personas que lucharon solas en su casa, muchas veces contra la voluntad del cónyuge, de los padres o de los hijos. Personas que tuvieron que abandonar empleos bien remunerados para seguir los principios eternos de Jesús. Personas que cuando conocieron el Evangelio eran prisioneras de vicios, traumas y complejos. Pero todas ellas, en el nombre de Jesús, "caminaron sobre las aguas" de las dificultades y lograron la victoria porque fijaron sus ojos en Cristo.

No existe nada que no puedas lograr en esta vida si crees en el maravilloso poder de Jesús y aprendes a depender de él. El gran problema del ser humano y el motivo por el cual muchos naufragan en la vida cristiana es el mismo motivo que casi llevó a Pedro al fondo del mar. Cuando todo iba bien, cometió la imprudencia de dejar de mirar a Jesús. No sé si miró hacia los lados o hacia atrás. El texto bíblico afirma que "sintiendo el viento, tuvo miedo". El miedo es generalmente el resultado de la conciencia de soledad. Soledad por no tener más la capacidad de entregarse a Jesús en medio de la noche oscura. Soledad por mirar a los hombres o a las circunstancias en lugar de mirar a Jesús.

Cuando era un joven pastor, ayudé a una señorita a estudiar la Biblia y a conocer a Jesús. Ella se acercó a Cristo a pesar de ser presionada por amigos y familiares y decidió bautizarse renunciando a un excelente empleo que le impedía ser fiel a la verdad que estaba aceptando. Su vida era una inspiración. Su amor por Cristo era conmovedor. El descubrimiento de las verdades bíblicas llenó su vida de entusiasmo, de horizontes sin fin. Pasaron los años y un día alguien me dio la noticia: "Fulana abandonó a Jesús y está fuera de la iglesia". Oré por ella, la busqué pero no la encontré.

Era víspera de Navidad de un año cualquiera. Estaba entrando a un gran supermercado cuando la vi. Se escondió. Fingió no reconocerme, pero le extendí la mano con una sonrisa y la saludé con alegría. Sus manos sudaban. Las lágrimas brillaban en sus ojos. Intentó decir algo y no lo consiguió. Yo rompí el silencio: " No digas nada, sólo quiero que sepas que Jesús te ama mucho". "Ah, pastor —dijo finalmente—, mi problema no es con Jesús sino con los hombres. Me decepcionaron. La iglesia no es el lecho de rosas que yo imaginé. Hay mucha gente hipócrita que no vive el Evangelio y le gusta aparentar". "Yo sé, linda niña, que mucha gente que dice ser cristiana nunca permitió que Jesús obrara en sus vidas, pero ¿por qué tú dejaste de mirar a Jesús? El nunca te falló ni te decepcionó. El siempre fue fiel a sus promesas y continua amándote. ¿Por qué confundes las cosas?"

A lo largo de la historia cristiana, ha habido muchos creyentes que han resultado heridos, agonizantes y hasta muertos, simplemente porque en algún momento de su experiencia quitaron sus ojos de Jesús y comenzaron a mirar la vida y los errores de los seres humanos.

Extiende en este momento las manos hacia Jesús. Clama en tu corazón. Atrévete a andar por encima de las dificultades. Cree en el poder que viene de Jesús. Tu fuerza no viene de la naturaleza o del sol, ni de la luna, ni del mar. Tu fuerza viene de Jesús, el creador del sol, la luna y el mar. Tu energía no viene de los astros, sino del Señor que creó los astros y los gobierna. Ese Jesús está ahí, a tu lado en este momento. ¿Por qué no le abres el corazón?

---

* Según la Biblia, el día que Dios separó para el reposo y la adoración es el séptimo día de la semana, el sábado, y no el domingo, como afirma la mayoría. (Ver Génesis 2:1-3; Exodo 20:8-11; S. Lucas 4:16; 23:56; 24:1.)

Capítulo 8

VINIENDO EN GLORIA

Aquel día casi perdí el avión que me llevaría desde La Habana hasta Cancún. Salí del hotel con el tiempo justo para tomar el avión, pero en el aeropuerto me encontré con una confusión muy grande. Era una escena conmovedora. Centenares de personas despedían a sus familiares, residentes en los EE.UU., que habían ido a Cuba a pasar la Navidad con ellos después de muchos años de ausencia. Ahora regresaban hacia el país de sus sueños dejando a sus seres queridos en Cuba sin poder llevarlos consigo. Lágrimas. Dolor. Y nostalgia. Era casi imposible atravesar aquel mar de sentimientos y de gente. Todos se abrazaban y lloraban y al mismo tiempo, dificultaban la aproximación de los pasajeros hacia la puerta de embarque.

Muchas veces en mi vida presencié escenas de despedida. Recuerdo cuando tuve que dejar a mi padre, anciano y enfermo. El brillo de sus ojos no podía ocultar el volcán de sentimientos que perturbaban su corazón. Aquello me dolió terriblemente, pero tuve que partir porque tenía una misión que cumplir.

Constantemente veo en los aeropuertos a seres humanos tristes en la hora de la despedida. Pañuelos agitándose y lágrimas obstinadas rodando por las caras mientras que el avión despega. Desde el nacimiento, cuando decimos adiós al útero materno, hasta la muerte, cuando nos separamos de parientes y amigos, nuestra vida está salpicada de despedidas. Cada una de ellas lleva un pedazo de nosotros, pero a pesar de eso es preciso continuar diciendo "adiós", o simplemente "hasta luego", intentando disminuir con palabras el dolor de la partida.

En el primer capítulo del libro de Hechos, encontramos descrita la escena de despedida entre Cristo y sus discípulos después de la resurrección. Fue un momento triste, como toda despedida. El texto bíblico dice: "Y estando ellos con los ojos puestos en el cielo, entre tanto que él se iba, he aquí se pusieron junto a ellos dos varones con vestiduras blancas, los cuales también les dijeron: Varones galileos, ¿por qué estáis mirando al cielo? Este mismo Jesús, que ha sido tomado de vosotros al cielo, así vendrá como le habéis visto ir al cielo" (Hechos 1:10-11).

Esta es la promesa que alimenta la esperanza del mundo cristiano. "Vendré otra vez" (S. Juan 14:3), dijo Jesús. "Así vendrá como le habéis visto ir al cielo" (Hechos 1:11), confirman los ángeles. Enoc profetizó en el Antiguo Testamento: "He aquí vino el Señor con sus santas decenas de millares" (S. Judas 14). Y San Pedro, en el primer siglo, reafirmó: "Pero el día del Señor vendrá como ladrón en la noche; en el cual los cielos pasarán con grande estruendo, y los elementos ardiendo serán deshechos, y la tierra y las obras que en ella hay serán quemadas" (2 S. Pedro 3:10).

En la Biblia encontramos casi tres mil promesas de Dios al hombre. Muchas de ellas son condicionales. Las promesas condicionales se hacen realidad solamente cuando el ser humano cumple la condición. Mas la promesa de la venida de Cristo no es condicional. No hay nada que el ser humano pueda hacer para evitar que Jesús regrese. Queramos o no, él vendrá. Lo aceptes o no, Jesús vendrá. Estemos o no preparados, todos tendremos que enfrentar el día glorioso del regreso de Jesús a este mundo.

Cuando Jesús estaba todavía con los discípulos, los reunió un día y les dijo: "No se turbe vuestro corazón; creéis en Dios, creed también en mí. En la casa de mi Padre muchas moradas hay; si así no fuera, yo os lo hubiera dicho; voy, pues, a preparar lugar para vosotros. Y si me fuere y os preparare lugar, vendré otra vez, y os tomaré a mí mismo, para que donde yo estoy, vosotros también estéis" (S. Juan 14:1-3).

¿Alguna vez te preguntaste por qué Jesús hizo énfasis en identificarse antes de presentar la promesa de su retorno? "Creéis en Dios, creed también en mí", dijo él. Más adelante afirma: "¿No crees que yo soy en el Padre, y el Padre en mí?" (S. Juan 14:10). Aquí Jesús remarca su naturaleza divina para dar autenticidad a su promesa porque él sabía que su retorno a este mundo tendría lugar en días de incredulidad y escepticismo. Nadie confiaría en nadie. El amor se enfriaría y la maldad prevalecería. Serían días dominados por la cultura secular en la cual Dios no pasaría de ser una simple "energía". Habría burladores y escarnecedores riéndose de los "ingenuos creyentes" que creyeran en las promesas bíblicas. Por lo tanto, era necesario resaltar su divinidad. Tú puedes desconfiar del hombre. Las promesas humanas pueden mostrar las señales de la mentira y la falsedad. Por más sinceras y honestas que parezcan ser, las promesas humanas tienen las limitaciones propias de la humanidad y al final no tienen valor. Pero Dios no falla. No te atrevas a desconfiar de las promesas divinas. Su Palabra es eterna y confiable.

¿Si te diera hoy como regalo un cheque por un millón de

dólares, tendría algún valor? ¿Qué haría el banco si fueras hasta la caja para cobrar el cheque de un millón de dólares firmado por Alejandro Bullón? ¡Yo nunca vi un millón de dólares en mi vida! Pero cambia la firma y coloca en su lugar el nombre de Bill Gates. ¿Te parece que cambiaría la situación? Claro que sí, porque Bill Gates no sentiría ni cosquillas si desapareciera un millón de dólares de su cuenta.

¿Ahora entiendes por qué el Señor hizo hincapié en que él era divino, uno con Dios el Padre? Es su firma lo que da validez a su promesa y, siendo así, la raza humana no tiene ninguna razón para dudar del cumplimiento de la vuelta de Jesús.

Aquel día, en el monte de la ascensión, los discípulos quedaron desolados. Durante tres años habían aprendido a depender del Maestro. Se sentían tristes y se quedaron allí parados con los ojos clavados en el cielo, hasta que Jesús desapareció. ¿Y qué harían ahora? Estando aún con ellos, el Maestro les había ordenado "que no se fueran de Jerusalén, sino que esperasen la promesa del Padre, la cual, les dijo, oísteis de mí" (Hechos 1:4).

La promesa a la cual se estaba refiriendo Jesús era la venida del Espíritu Santo como confortador, maestro, guía, consejero y fortalecedor de sus discípulos. Esta promesa implicaba también poder para cumplir la misión. "pero recibiréis poder —había dicho Jesús— cuando haya venido sobre vosotros el Espíritu Santo, y me seréis testigos en Jerusalén, en toda Judea, en Samaria, y hasta lo último de la tierra".

El poder del Espíritu Santo y el cumplimiento de la misión que Jesús dejó para su iglesia son, por tanto, elementos indispensables para preparar a los seres humanos para el anhelado encuentro de todos los tiempos.

Pero desdichadamente, existen también dos peligros: por un lado la incredulidad en la promesa, y la preocupación exagerada en fechas y circunstancias que tienen que ver con el regreso de Jesús, por el otro.

En el monte de la ascensión, cuando Jesús se reunió con sus discípulos para despedirse: "Entonces los que se habían reunido le preguntaron, diciendo: Señor, ¿restaurarás el reino a Israel en este tiempo? Y les dijo: No os toca a vosotros saber los tiempos o las sazones, que el Padre puso en su sola potestad" (Hechos 1:6-7).

Siempre fue así. El ser humano tiene fascinación por conocer el futuro, descuidando a veces las responsabilidades del presente. ¿Quiere decir que Jesús nos dejó completamente ciegos con relación a su venida? No. En la Biblia encontramos muchas señales de su regreso. Por ejemplo, el sermón profético registrado en el capítulo 24 de San Mateo, presenta muchas de esas señales: falsos cristos, guerras y rumores de guerras, hambre, terremotos, falta de amor y aumento de la maldad. Y después de mencionar todo eso, Jesús aconseja: "De la higuera aprended la parábola: Cuando ya su rama está tierna, y brotan las hojas, sabéis que el verano está cerca. Así también vosotros, cuando veáis todas estas cosas, conoced que está cerca, a las puertas" (S. Mateo 24:32-33).

Hoy puedes mirar a tu alrededor y ver el cumplimiento de todas las señales del regreso de Cristo. Lucha entre el capital y el trabajo. Conflicto entre padres e hijos. Hogares deshechos. Desprecio por los valores espirituales y morales, materialismo, enriquecimiento ilícito por un lado y por otro la miseria, la explotación y la pobreza. Jesús dice que poco antes de que regrese, las cosas serían así, mas, a pesar de eso, "del día y la hora nadie sabe, ni aun los ángeles de los cielos, sino sólo mi Padre" (S. Mateo 24:36).

¿Por qué hay en el regreso de Cristo el elemento sorpresa? San Pedro dice que será como la venida del ladrón en la noche. Quiere decir que mucha gente estará durmiendo. Jesús mismo dice: "Mas como en los días de Noé, así será la venida del Hijo del Hombre. Porque como en los días antes del diluvio estaban comiendo y bebiendo, casándose y dando en casamiento, hasta el día en que Noé entró en el arca, y no entendieron hasta que vino el diluvio y se los llevó a todos, así será también la venida del Hijo del Hombre" (S. Mateo 24:37-39). ¿Por qué el elemento sorpresa? Ahí está la clave. El elemento sorpresa sólo existe para quien se preocupa por la fecha. Mas para quien vive una permanente comunión con Cristo, no existe sorpresa ninguna.

Cuando yo era pequeño, mi padre trabajaba en las minas y sólo venía a casa cada quince días. Antes de partir, siempre nos dejaba tareas para cada día, pero mis hermanos y yo dejábamos todo para el último día. Cuando llegaba ese día corríamos de un lado al otro y cuidábamos de todos los detalles. Al llegar mi padre, encontraba todo hecho y pensaba que tenía unos hijos maravillosos. Pero un día, por esas cosas inexplicables de la vida, él anticipó su llegada y conoció la verdadera situación. Aquella noche nos reunió a todos y, mientras que sus ojos brillaban de emoción, nos dijo: "Hijos, yo pensé que lo hacían por amor, pero descubrí que lo hacen por miedo y eso me pone muy triste".

La pregunta es: ¿los cristianos deben prepararse para la venida de Cristo porque las señales se están cumpliendo o deben vivir permanentemente preparados porque aman al Señor? Prepararse por miedo, lleva a "prepararse" solamente cuando la fecha se aproxima. Después, todo queda en el olvido. Quien ama a Jesús, sin embargo, vive cada día una experiencia de amor con él y el resultado de eso es una vida de "estar preparado" continuamente.

Desde el momento en que Jesús se despidió de sus discípulos en el monte de la ascensión, pasaron muchos siglos y el Maestro aún no regresa. Por eso, muchas personas creen que la promesa es falsa. "Quien espera, desespera" afirma un dicho popular. Y mucha gente ya se desesperó y se salió del camino. ¿Qué hacer entonces para que la espera no resulte tediosa?

Aquí aparece la misión. Quien espera sin hacer nada y

sólo mira el reloj, va a enloquecer y a desistir. Mas quien espera trabajando, no sentirá que el tiempo pasa.

Jesús pudo haber predicado el Evangelio de salvación sin necesidad del ser humano. Pudo haber llamado a todos los ángeles del cielo para anunciar a los seres humanos el mensaje de redención, pero eligió a los hombres para eso. ¿Por qué? Porque somos nosotros los que debemos comprometernos con la misión para esperarlo mientras trabajamos para él. Al final del sermón profético Jesús presenta la parábola de un señor que dio la orden a sus siervos de que cumplieran una misión. Entonces Jesús advierte: "Bienaventurado aquel siervo al cual, cuando su señor venga, le halle haciendo así" (S. Mateo 24:46).

Cuando la Biblia enseña "vigilad, pues, porque no sabéis el día en el que vuestro Señor vendrá", no se está refiriendo solamente a orar, ir a la iglesia o estudiar la Biblia. Existe un cuarto elemento en un "vigilad" sano, y ese elemento es el testimonio. Tú necesitas buscar a un amigo, pariente, vecino o compañero de trabajo y hablarle del amor maravilloso de Jesús. Esto es vital, porque si no lo haces, en poco tiempo perderás la voluntad de continuar orando y estudiando la Biblia.

Volvamos nuevamente al monte de la ascensión. Los ángeles dijeron: "Este mismo Jesús que ha sido tomado de vosotros al cielo, así vendrá como le habéis visto ir al cielo". Esta declaración deja explícita una verdad que muchas personas no logran entender. La venida de Jesús no será un acontecimiento secreto ni aislado. Cuando él aparezca en las nubes de los cielos "todas las tribus de la tierra... verán al Hijo del Hombre... con poder y gran gloria" (S. Mateo 24:30). "Porque como el relámpago que sale del oriente y se muestra hasta el occidente, así será también la venida del Hijo del Hombre" (S. Mateo 24:27).

La venida de Cristo será un acontecimiento universal y visible para todo ser humano. "Todo ojo le verá" (Apocalipsis 1:7), afirma San Juan en el libro de Apocalipsis.

Muchos creen que Jesús ya vino y está presente en la tierra, pero que sólo es posible reconocerlo con los "ojos de la fe". Mas Juan agrega que la venida de Cristo será vista hasta por los que "le traspasaron", refiriéndose a los enemigos del cristianismo, y estos sin duda, carecen de fe.

Un día, muy pronto, tal vez a medianoche, la humanidad dormirá tranquila. En los lugares nocturnos, algunos tratarán de llenar el vacío de sus corazones. Habrá gente en la calle, en las esquinas y en los bares. Otros estarán planeando sus delitos. Las prisiones seguirán abarrotadas de malhechores. Y de repente la tierra será sacudida de un lado a otro. Se oirá el son de trompetas y el sol comenzará a brillar. Todo el mundo levantará los ojos hacia el cielo, pues Jesús estará viniendo en medio de las nubes para poner punto final a la historia del pecado, que trajo tanto dolor y miseria a la pobre humanidad.

Al entrar a un nuevo siglo contemplamos la incoherencia humana capaz de realizar los actos más heroicos para defender la vida, y al mismo tiempo capaz de protagonizar las masacres más horribles. En el atardecer de la historia de este mundo oscurecido por la maldad y el egoísmo, es hora de ver a Jesús regresando en gloria y de saber que esa será la solución definitiva para los problemas del hombre moderno.

La última vez que me despedí de mi padre tenía la certeza de que no lo vería más con vida en esta tierra antes del regreso de Jesús. Tuve ganas de llorar, pero él, a pesar de que sus ojos brillaban de emoción, dijo sereno: "Ve en paz, hijo mío, si cuando estés lejos me sucede algo, no te preocupes; nos encontraremos cuando Jesús regrese".

Por eso me emociono cada vez que pienso en el regreso de Cristo. Sé que todas las esperanzas humanas se concretarán finalmente en la más grande: la venida gloriosa de Jesús. ¿Quieres prepararte para el encuentro final con Cristo?

Capítulo 9

EN LA ENCRUCIJADA DE LA VIDA

Se cuenta que en la famosa batalla de Waterloo, en la cual Napoleón fue derrotado, el Duque de Wellington llamó a sus soldados y los desafió, diciéndoles: "Debemos conquistar aquella montaña. Esto es vital, porque si el enemigo llega primero, será mucho más difícil derrotarlo. Naturalmente —continuó el Duque— yo podría dar la orden y sé que ustedes me obedecerían, pero no quiero que nadie se sienta forzado. Por lo tanto, llamaré voluntarios y, para que nadie se sienta obligado por el hecho de que los estoy mirando, me daré vuelta, y los que estén dispuestos a participar de esta arriesgada misión, den un paso al frente".

El Duque les dio la espalda y cuando se dio vuelta nuevamente, se sintió desilusionado porque todos los soldados seguían en la misma línea, pero antes de que dijera nada, un oficial tomó la palabra y le dijo: "Señor, no se ponga triste, el ejército entero dio un paso al frente".

Historias como ésta revelan la importancia de tomar decisiones en momentos críticos de la vida. En las grandes batallas de la historia, siempre hubo soldados valientes que dejaron de lado el temor y dieron un paso al frente. La Biblia está llena de historias de hombres y mujeres que fueron llamados a salir, partir y luchar. Aquellos personajes bíblicos supieron por experiencia propia lo que significa estar indeciso. Tuvieron sus dudas e inseguridades como todo ser humano. Lucharon contra el temor y el miedo, encararon un futuro desconocido, pero fueron capaces de ver a Jesús en la encrucijada de la vida y lo siguieron hasta el fin.

Abrahán fue uno de esos personajes. El registro bíblico narra el momento de la gran decisión del patriarca de la siguiente manera: "Pero Jehová había dicho a Abrahán: Vete de tu tierra y de tu parentela, y de la casa de tu padre, a la tierra que te mostraré" Génesis 12:1). Solamente quien salió alguna vez de su tierra es capaz de comprender el dolor y el sufrimiento que implica el hecho de partir. Las raíces están hundidas en el suelo que pisamos. El futuro se presenta desconocido sombrío. Algo nos dice que debemos partir, pero tenemos miedo, vacilamos y no sabemos qué actitud tomar.

En la orden que Dios diera a Abrahán, con todo, estaba implícita una promesa: "vete de tu tierra... a la tierra que te mostraré", e innumerables ejemplos nos han demostrado que el mejor lugar para vivir es la tierra que Dios ha preparado para cada hijo. En realidad, partir, significa crecer. Dios estaba invitando a Abrahán a crecer. Sólo que el crecimiento involucra dolor y a nadie le gusta experimentarlo. Tal vez por eso sea difícil crecer.

Cuando era niño, tenía un compañero que perdió a su padre muy temprano en la vida. Tuvo que luchar mucho para poder estudiar. Mientras los otros disponían de tiempo para practicar deportes, él trabajaba. Se levantaba de madrugada y se acostaba tarde, sacrificaba horas de compañerismo con los amigos a pesar de ser una persona extrovertida. Pero él tenía un blanco. Sus padres habían sido personas humildes y había una tierra mejor a donde ir. Partió, y al partir aceptó todos los desafíos y sacrificios que el crecimiento involucra, y hoy es un profesional brillante, tiene una familia excelente y puede dar a sus hijos la comodidad que él nunca tuvo.

Cualquiera que lo ve hoy, no podría imaginar que las manos de aquel hombre un día sangraron debido a las ampollas que se reventaban por el trabajo. Nadie sabe de las lágrimas que tuvo que derramar para pagar el precio del conocimiento. Las cosas son así. Cuando llegas finalmente a lo que Dios te mostró, la alegría y la satisfacción son tan grandes que ni te acuerdas de las dificultades que tuviste que enfrentar en el camino.

Hay una lección más que obtenemos de la orden divina dada a Abrahán: la vida, para ser vivida en plenitud, debe ser un permanente crecimiento. No existe un punto en el que el ser humano diga: "Estoy satisfecho y no necesito crecer más". Esto es válido para todas las áreas de la existencia, pero principalmente para la vida espiritual y el conocimiento de la palabra de Dios. Salomón afirma que "la senda de los justos es como la luz de la aurora, que va en aumento hasta que el día es perfecto" (Proverbios 4:18), y San Pablo agrega: "No que lo haya alcanzado ya, ni que ya sea perfecto; sino que prosigo, por ver si logro asir aquello para lo cual fui también asido por Cristo Jesús" (Filipenses 3:12).

Hay un plan divino para cada ser humano. Existe un blanco, un ideal hacia el cual Dios quiere llevarnos. Esto nada tiene que ver con la predestinación. Dios dio libertad al ser humano y cada uno es arquitecto de su propio destino. Pero existe un rumbo ideal al cual Dios quiere conducirte: "Vete de tu tierra, —ordena— a la tierra que te mostraré". Si Dios sólo ordenase partir y nos dejase sin rumbo en esta vida, en cierto modo estaría siendo injusto con sus hijos. Pero él te desafía a que nunca estés satisfecho con lo que conoces y, al mismo tiempo promete: "yo te mostraré". Sí, existe una tierra maravillosa, pero no necesitas andar deambulando por la vida en busca de esa tierra. "Yo te mostraré", es la promesa de Dios.

La peor cosa que puede acontecer con el ser humano es pensar así: "nací aquí y moriré aquí. Mis padres pensaban de esta manera, y yo continuaré pensando como ellos". ¿Sabes? La historia debe ser siempre recordada y respetada porque es del pasado de donde sacamos fuerzas para creer en el futuro. Pero cuando la historia se convierte en tradición y la tradición se convierte en norma del comportamiento humano, comienza la decadencia del hombre.

Se cuenta que cierta familia cortaba la carne en forma de círculo para colocarla en la parrilla. Así fue hecho por varias generaciones, hasta que cierto día, un niño de apenas doce años tuvo la curiosidad de preguntar a su hermana por qué estaba cortando la carne en forma de círculo si la carne era rectangular: "No sé, mamá lo hace así". El niño buscó a la madre y recibió la siguiente respuesta: "No sé hijo, tu abuela lo hacía así". Insatisfecho, buscó a su abuela, a quien le hizo la misma pregunta, a lo que la anciana respondió: "No sé hijo, tu bisabuela lo hacía así". Suerte para el niño, que la bisabuela aún estaba viva, y que respondió: "¡Ah, hijo, el problema es que tenía una sola parrilla y era redonda".

¿Alguna vez pensaste por qué crees lo que crees? ¿Cuáles son las razones que justifican tu filosofía de la vida? ¿Por qué rindes culto a Dios de la manera que lo haces? El apóstol San Pablo da un consejo oportuno de la siguiente manera: "Así que, hermanos, os ruego por las misericordias de Dios, que presentéis vuestros cuerpos en sacrificio vivo, santo, agradable a Dios, *que es* vuestro culto racional" (Romanos 12:1, la cursiva es nuestra).

Aquí, el apóstol habla de un "culto racional", ¿tu culto es 'racional' o 'tradicional'? Después, San Pablo continúa diciendo: "Y no os conforméis a este siglo; sino transformaos por medio de la renovación de vuestro entendimiento, para que comprobéis cuál sea la buena voluntad de Dios, agradable y perfecta" (Romanos 12:2). ¿Es necesario reforzar la interpretación bíblica para entender que Jesús está hablando aquí del "inconformismo" con los patrones establecidos por la tradición? ¿Es difícil entender que el apóstol aconseja la "renovación" de la mente, para experimentar la voluntad de Dios?

¿Cuál es la voluntad de Dios? ¿Cómo se renueva la mente? La voluntad de Dios sólo puede ser conocida a través de las Sagradas Escrituras: "La tierra que te mostraré", dice Dios. ¿Y cómo lo hará? David responde: "Lámpara es a mis pies tu palabra, y lumbrera a mi camino" (Salmo 119:105). La Biblia es la antorcha que ilumina nuestros pies para no perdernos en la infinidad de filosofías que pretenden mostrar el camino. La Biblia es el mapa. Muestra la ruta para llegar con éxito a la tierra que el Señor ha preparado para el ser humano. Por eso, San Pedro afirma: "Tenemos también la palabra profética más segura, a la cual hacéis bien en estar atentos como a una antorcha que alumbra en lugar oscuro" (2 S. Pedro 1:19).

La Biblia, ese mapa extraordinario que Dios dejó para mostrarnos el camino, por algún motivo, a lo largo de la historia, ha sido el libro más odiado y más amado. Con seguridad revela la voluntad de Dios, pero justamente por eso su lectura se torna peligrosa , pues es un libro que genera cambios. No es posible permanecer indiferente después de leerla. Tienes que tomar una posición, aceptar o rechazar, y el consejo divino es: "Renueva tu mente con ella", "haz con ella de tu culto, un culto racional". "Libérate de las corrientes de las tradiciones", "rompe los tabúes" y "conoce la voluntad de Dios para ti".

A lo largo de mi vida he encontrado personas sufriendo en la encrucijada de la vida. Encontraron un día la Palabra de Dios. Sus ojos se abrieron a las verdades que no conocían, pero el peso de la tradición fue tan grande, que rechazaron las verdades bíblicas a pesar de sentir la voz de Dios diciendo: "Vete de tu tierra... a la tierra que yo te mostraré".

El otro día, un joven estudiante de la Biblia me preguntó con ansiedad, casi con angustia: "¿Quiere decir que estuve equivocado toda la vida?" "No" —le respondí. "No estabas equivocado, la verdad es que estás creciendo". "¿Creciendo?", se sorprendió. Después le expliqué lo siguiente: "Cuando estabas en la primaria, aprendiste a sumar, restar, multiplicar y dividir. Después, en la secundaria, aprendiste álgebra, trigonometría, física y química. Pero no terminaste ahí. Ingresaste a la universidad y aprendiste física nuclear, trigonometría espacial y física cuántica. ¿Sería justo que al llegar a la universidad pensaras que cuando estabas en la primaria, estabas equivocado? No. Estabas creciendo. Equivocado estarías si después de terminar la primaria dijeras: 'No quiero aprender más' ".

El relato bíblico afirma que Abrahán tomó la decisión de partir cuando tenía 75 años de edad. Esto es extraordinario. Nunca es tarde para cambiar el rumbo de la vida, aprender y comenzar todo de nuevo. El anciano patriarca oyó el llamado divino y partió. Y no demoró su decisión. No lo dejó "para el próximo año" ni para después de "jubilarse", o para después de terminar la "universidad". El consejo divino es: "En tiempo aceptable te he oído, y en día de salvación te he socorrido: he aquí ahora el tiempo aceptable; he aquí ahora el día de salvación" (2 Corintios 6:2).

¿Existe lucha en tu corazón? ¿Oyes una voz a tu lado diciendo: "Todas las religiones son iguales, lo que realmente importa es creer en Dios y tener fe"? ¿Sabes? La obediencia a Dios y a u Palabra no es sólo un asunto de religión. No es simplemente salir de una iglesia y entrar en otra. La obediencia es un asunto de amar o no amar. Porque cuando amas a una persona lo que más deseas es hacer de todo para que sea feliz, y al final descubres que el más beneficiado y feliz eres tú mismo. Por lo tanto, hacer lo que Dios pide en su Palabra no es opcional o trascendental. Es un asunto de vida o muerte, de salvación o perdición. El propio Señor Jesús afirma que "hay camino que al hombre le parece derecho; pero su fin es camino de muerte" (Proverbios 14:12).

Cuentan la historia de una joven judía que aceptó a Jesús como su Salvador y decidió seguirlo hasta el fin. Los padres hicieron de todo para hacerla desistir, inclusive le pagaron un viaje alrededor del mundo durante un año, con la esperanza de que la hija se olvidara de la fe cristiana. Pero nada dio resultado. Amenazas, promesas, castigos, nada hacía que la joven convertida cambiara la decisión de seguir a Cristo.

Cuando cumplió los 22 años, los padres dieron una gran fiesta de cumpleaños para los vecinos, amigos y parientes, y de repente, en medio de la fiesta, el padre pidió silencio y habló: "Esta fiesta no es sólo para celebrar el cumpleaños de nuestra hija, sino también para pedirle una decisión pública y definitiva: 'o abandona a Jesús o abandona el hogar' ". Hubo un silencio sepulcral. Nadie podía imaginar qué ocurriría. Había tensión y ansiedad en el ambiente. Todos miraban a la joven imaginando cuál sería su actitud. La joven cristiana se dirigió al piano, tocó una canción que hablaba de su inmenso amor por Cristo y después llorando dijo a sus padres que los amaba mucho, pero que jamás podría volver atrás con respecto a la decisión que había tomado.

¿Es este el momento de tomar una decisión? ¿Escuchas la voz de Jesús invitándote y al mismo tiempo tienes un montón de dudas, temores e inseguridades? No temas. El Señor Jesús jamás te abandonará. El está siempre a tu lado, dándote fuerzas para seguir adelante, hasta el fin de la jornada, ¡porque fuiste capaz de verlo en la encrucijada de la vida!

Capítulo 10

COMO LA ÚNICA ESPERANZA

Jesús acababa de alimentar a una multitud de aproximadamente 15.000 personas. Aquel fue un milagro extraordinario. Una pequeña merienda de panes y peces en las manos de Jesús fue suficiente para satisfacer las necesidades físicas de millares de seres humanos.

Muchas veces me pregunté: ¿No podía Jesús haber hecho este acto prodigioso partiendo de la nada? ¿Acaso Dios no creó todo el universo solamente con el poder de su palabra? ¿Necesitaba de esos panes y peces para realizar un milagro? ¿Qué lección quiso enseñar al utilizar estos recursos insignificantes de la mano de un niño? Recuerda que uno de los discípulos dijo: "Ni cien denarios alcanzarían para comprar comida para tanta gente". ¿Cuánto valían dos peces y cinco panes? Nada, o casi nada. Aquí está la primera lección de este milagro. Un poco en las manos de Dios tiene un valor trascendental y eterno.

A lo largo de la Biblia encontramos muchas veces que

Dios partió de lo poco, rumbo a lo grandioso. Fue con un puñado de discípulos que nació la iglesia cristiana y hoy su mensaje sacude al mundo. Jesús compara a sus hijos con la sal. Basta un poco de sal para transformar el sabor de las cosas. El compara cuatro veces a sus hijos con la luz. Basta un rayo de luz para quebrar el poder de las tinieblas. Aquel que quiera seguirme, dice el Maestro, tendrá que acordarse del trigo. El grano de trigo cae en la tierra y desaparece. Si abres la tierra tres días después, sólo hallarás un grano en descomposición, condenado a desaparecer. Es nada, casi nada. Pero en aquel pequeño grano insignicante está el poder de la vida que viene del Dios creador, y algunos días después la plantita tiene el poder de romper la inercia de la tierra y transformarse en muchos granos.

¿Notaste el mensaje de las cosas pequeñas en las manos de Dios? David era un joven insignificante, con una honda y cinco piedras y en nombre de Dios derribó al gigantesco guerrero de aquellos días. En otra ocasión un viuda lloraba la desgracia de haber perdido al marido y también a los hijos. "¿Qué tienes en casa?" —preguntó el profeta Eliseo. "Nada Señor" —fue la respuesta de la viuda. ¿Cómo que nada? Tenía, sí. Apenas un poco de aceite. Era todo lo que Dios necesitaba para resolver el problema de aquella mujer. La historia bíblica dice que con aquel poco de aceite la viuda llenó muchas vasijas y con la ganancia de la venta, logró pagar todas sus deudas.

¿Recuerdas a Moisés en el desierto? "No sé hablar", dijo al Señor, queriendo librarse de la misión. "No digas no sé hablar" fue la respuesta divina. ¿Recuerdas a Jeremías? "No soy más que un niño", dijo temblando en su corazón y Dios tampoco le aceptó la disculpa. Es que las cosas pequeñas e insignificantes, cuando son colocadas en las manos de Dios, tienen consecuencias trascendentales y eternas.

¿Será que tú estás intentando encontrar la solución para

tus problemas en cosas grandes cuando existen pequeñas cosas en tus manos, que si las colocas humildemente en las manos de Dios pueden ser una gran solución?

Vivimos en una sociedad que desprecia lo que es pequeño. Generalmente se da el premio al vencedor. Se reconoce el mérito del más fuerte, se enaltece a aquel que llega primero. Entonces, sin percibirlo, comenzamos a menospreciar las cosas pequeñas o secundarias.

Conocí un hombre en EE. UU. que hacía 22 años no volvía a su país. " Sólo regresaré cuando junte mi primer millón de dólares", me dijo con orgullo. En el viaje hasta el hotel, me contó de sus grandes planes; todos extraordinarios. Cuando llegamos me agaché para recoger un centavo de bronce que brillaba en el piso. "¿Qué fue lo que encontró?" —me preguntó con curiosidad. Al mostrarle la moneda insignificante, sonrió y comentó:

—Aquí nadie se toma el trabajo de recoger un penique. —¿Sabes cuál es tu problema? — le dije—. Te olvidas que un millón de dólares no es nada más que 100 millones de estos centavos que no quieres tomarte el trabajo de recoger".

Conozco personas que se quedan sentadas esperando recibir de Dios "grandes bendiciones", mientras desprecian las pequeñas bendiciones que cada día vienen desde el cielo. "No tengo nada" —se quejan—. Si por lo menos tuviese 5.000 dólares podría comenzar algún negocio y salir de esta situación". ¿Y por qué no comienzas con lo que tienes? Conozco al dueño de una cadena de restaurantes que comenzó su negocio vendiendo en una esquina diez emparedados y un litro de refresco, porque era todo el capital que tenía. Pero ese hombre fue honesto con Dios. Devolvió a Dios lo que era de él y hoy es un hombre de mucho dinero.

El niño de Galilea podría haber escondido lo poco que

tenía cuando oyó decir que Jesús necesitaba algo para alimentar a la multitud. Pero colocó lo poco que tenía en las manos de Dios y hoy tú puedes leer en la Biblia la historia de aquel milagro.

Otra gran lección que este milagro enseña es que la participación humana es indispensable para que Dios pueda trabajar en la vida de sus hijos. Podemos ver repetidas veces los hechos prodigiosos de Jesús. Antes de resucitar a Lázaro ordenó: "Quitad la piedra". Antes de tranformar el agua en vino, pide: "Llenad las vasijas de agua". Al ciego de nacimiento le dijo: "Ve al estanque de Siloé y lávate". Al paralítico del estanque de Betesda mandó: "Toma tu lecho y anda". Y ahora, antes de alimentar a la multitud, pregunta: "¿Alguien tiene algo por ahí?"

A lo largo de mi ministerio, en las grandes campañas evangelísticas, he visto millares de personas decidiéndose en favor de Cristo. Son personas que sienten el terremoto de la obra del Espíritu Santo en su corazón. Luchan. Sufren, muchas veces lloran, pero finalmente comprenden que Dios no puede hacer nada en su vida si no aceptan y desean el milagro divino. Cuando veo decenas de personas saliendo de las gradas en dirección a la plataforma, expresando su decisión de aceptar a Jesús como su Salvador personal, cierro los ojos y veo a los paralíticos y ciegos modernos haciendo su parte, o sea, haciendo lo único que el ser humano puede hacer: aceptar.

Infelizmente, también en esas campañas evangelísticas veo a personas que no logran tomar la decisión. Veo el brillo en sus ojos. Son personas maravillosas que sienten el llamado de Jesús, pero tienen miedo, se retardan, se disculpan y a veces hasta huyen.

¿Y tú? ¿Quieres que Jesús entre en tu corazón y revolucione tu vida? ¿Necesitas que él haga un milagro en tu experiencia? Entonces, coloca en las manos del Salvador lo poco o casi nada que tienes. Un corazón lleno de amargura, resentimiento; tal vez una mente poblada de pensamientos oscuros, quien sabe; un cuerpo quebrantado por la vida degradada del pasado, pero ven a Jesús. Trae tu vida como está. Díle que necesitas de él, que no tienes fuerzas para cambiar, que te sientes insignificante y sin valor. Hazlo ahora, inclinando tu rostro y conversando con Dios.

La tercera gran lección de este incidente bíblico es que no debemos colocar la confianza en cosas simplemente materiales, sino que debemos pensar siempre en las consecuencias eternas de todo aquello que buscamos en este mundo.

Después de haber realizado el gran milagro de la multiplicación de los panes y de los peces, la multitud aumentó en número y seguía a Jesús por todas partes. Jesús, entonces se detuvo para hablar acerca de la necedad humana al buscar solamente cosas materiales. Cosas necesarias, sin duda, como el pan, pero simplemente materiales y, por serlo, pasajeras y fugaces. El Maestro llama la atención de la gente hacia el desierto, donde los antepasados del pueblo de Israel comieron el maná hasta hartarse, y con todo, murieron como mueren todos los seres humanos. "Trabajad no por la comida que perece, sino por la comida que a vida eterna permanece..." (San Juan 6:27), advierte Jesús. El está hablando aquí de los valores internos de la vida que a veces el ser humano descuida en su loca carrera por alcanzar apenas valores materiales. Desafortunadamente vivimos en una sociedad que da importancia a lo que es bonito y caro. Vales de acuerdo a lo que tienes. Un apellido famoso, una buena cuenta bancaria y belleza de acuerdo a los patrones que la cultura impone. Los medios de comunicación se encargan de colocar eso en tu mente, las 24 horas del día. No hay modo de escapar. Quieras o no, te ves afectado por esa manera de ver las cosas de la vida.

Algunos años atrás, cuando la ciencia de mercadotecnia no estaba tan desarrollada y cuando los medios de comunicación no tenían todos los recursos que hoy poseen, podías comprarle a tu hijo cualquier marca de zapatillas, y todo estaba bien. Hoy no, porque si no es una marca famosa, él se siente inferior a sus compañeros y tú te sientes infeliz por no poder dar a tus hijos lo que otros padres pueden dar a los suyos. De una u otra forma es así. No hay forma de escapar. Y allí comienza la carrera desesperada por las cosas materiales en detrimento de los valores espirituales de las personas y de la propia vida.

Cuando estaba en EE.UU., tuve una profesora norteamericana de unos 60 años de edad. Al saber que yo vivía en Brasil, se emocionó. "Mi sueño es viajar a Brasil", me contó con entusiasmo. "Es un país maravilloso, le va a gustar" —comenté. "No, no es por causa de la belleza del país" —me respondió—, quiero hacerme una cirugía plástica con Ivo Pitangui".

"Pero no necesita una cirugía plástica" —le dije, contemplando las formas suaves de su rostro. "¿Cómo no?" —replicó—, "¡mire estas arrugas!". "Usted es bonita —respondí—, con la belleza de una mujer de su edad, así como una niña es hermosa con la belleza de una niña, y una joven de 20 años con la belleza de los 20, pero usted, como es, es la cosa más linda para Jesús".

Sus ojos comenzaron a brillar. Le hablé de los valores interiores que a veces olvidamos, sintiéndonos infelices porque no logramos conservar el patrón de belleza que los medios de comunicación imponen. Después, me dijo: "Gracias", mientras dos lágrimas corrían silenciosamente por los surcos que en su rostro hablaban de una vida dedicada al esposo, a los hijos y al trabajo.

Conocí a Joana, pero podría haber sido Rosa o María, en el peor momento de su vida. Acababa de separarse de su esposo después de 30 años de matrimonio. En realidad, fue el marido quien la abandonó y se fue a vivir con una mujer mucho más joven y bonita que ella. Vino a hablar conmigo y durante una hora liberó todo el veneno de su corazón. Fue una cantidad impresionante de acusaciones contra el marido. Se sentía víctima de todo y de todos, inclusive de los hijos que ya eran adultos y casados. "Son unos ingratos —dijo—, les dediqué toda mi vida, me convertí en una mujer gorda, vieja y fea, y nunca valorizaron mi sacrificio y mi amor por ellos".

De todo lo que Joana contó, pude deducir algunas cosas. A cierta altura del matrimonio, al sentirse "reemplazada" por el trabajo de su marido, permitió que la inseguridad en su corazón diese lugar a los celos, al rencor y a la amargura. En cierto modo, quiso castigarlo y comenzó a descuidar su aspecto físico. Esto, junto a la ansiedad que le producía la amargura, la llevó a comer sin medida y a engordar exageradamente y, ante la indiferencia del esposo, comenzó a criticarlo, acusarlo y agredirlo, a veces con palabras y otras con actitudes, haciendo a propósito todo aquello que sabía que lo contrariaba.

Los hijos fueron su vía de escape. Sumergió la cabeza en atenderlos con el fin de escapar del sentimiento de soledad que la envolvía. Pero ahora sus hijos habían crecido. Cada uno tenía su respectiva familia y de repente se vio sola, sin hijos ni esposo.

"La vida es injusta" —decía—, envejecí y mi ingrato esposo me dejó por otra más joven".

Cuando vino a hablar conmigo, estaba gastando dinero en programas para adelgazar, cosméticos y ropas exageradas, pero aún así, parecía que nada estaba bien. Fue entonces que alguien le habló de Jesús y le dio uno de mis libros.

"Creo que eres una persona especial para Jesús "le dije". Debes haber sido muy bonita de joven". Se ruborizó. "¿Le parece?" —me preguntó emocionada—. Sí —respondí—, y le pregunté: "¿dónde está la joven bonita y soñadora que fuiste un día?" Lloró. Como si mis palabras doliesen, lloró como una niña. "Murió, pastor" —dijo casi desesperada—, aquella joven murió hace mucho tiempo". Era mentira, la joven estaba viva. Siempre estuvo, pero intentó esconderla en algún rincón de su corazón, como si quisiese protegerla de la indiferencia del marido, de los hijos y de las circunstancias difíciles que la vida le impuso.

Alguna vez pensé si las lágrimas lavan o no el interior de las personas. Creo que sí. Creo que la gracia de Jesús usa muchas veces las lágrimas para quitar del alma el veneno que nos asfixia. En aquella tarde gris del mes de julio en Sao Paulo, Brasil, Joana nació de nuevo. Entendió que era cierto que el tiempo podía arrugar su rostro y acabar con la forma física que poseía a los 20 años, pero que no podía arrancar los valores interiores a los cuales ella no estaba dando atención. Al final de cuentas, el cuerpo puede envejecer, pero no necesariamente la actitud mental. Si todos los métodos que estaba usando últimamente para convertirse nuevamente en una mujer "delgada, joven y bonita" no estaban dando resultado, ¿por qué no intentar ser una "vieja gorda, agradable y simpática"?

Dio resultado. En medio de la niebla y el humo que cubrían la ciudad y sus pensamientos en aquella hora, y en medio de toda la tragedia que vivía, Joana logró distinguir a Jesús como la única esperanza. Y dio resultado. Fue a Jesús como estaba y él la recibió y la transformó en una nueva criatura.

La siguiente vez que habló con su esposo, fue la primera en muchos años en la que no lo criticó ni lo acusó. Su actitud cambió, comenzó a ver la vida con alegría y a agradecer a Dios por todo lo que recibía, y para su sorpresa, sucedió algo extraño. Un día se miró en el espejo y se vio más joven, delgada y bonita. Tenía arrugas, es verdad, pero hasta le pareció que la hacían más interesante.

Era eso lo que Jesús quiso decir al afirmar: "Yo soy el pan..." La multitud no entendió. Una cultura materialista similar a la que prevalece en nuestros días ya enceguecía el entendimiento de las personas de aquel tiempo. Ellos corrían detrás del pan como el hombre de hoy corre detrás del dinero. Los valores interiores son impalpables, y por eso son considerados frecuentemente subjetivos y relativos. El relativismo de nuestros días es la peor lepra social. Pasó de moda el ateísmo que negaba la existencia de un Dios supremo, dio lugar al relativismo que juega con los valores absolutos de Dios y los racionaliza queriendo materializarlos.

Por eso, es difícil para el hombre moderno discernir a Jesús como la única esperanza. La esperanza no se puede palpar. Tienes que creer en la presencia de Jesús por fe y de repente, en este mundo materialista, te descubres sin fe.

"Al oír esto" —dice el texto—, muchos lo abandonaron". Entonces Jesús, dirigiéndose a sus discípulos, les preguntó: "¿Queréis vosotros iros también?". Allí aparece la gran respuesta del apóstol Pedro. "¿A quién iremos? Tú tienes palabras de vida eterna".

Aunque sombríamente, los discípulos habían logrado ver que no todo en esta vida es pan, ropa, casa y auto. Existían también las "Palabras de Vida Eterna", que le dan sustancia a todo. Jesús no vino a este mundo para hacernos perder el gusto por las cosas bellas y agradables que él mismo creó. El vino para ordenar nuestras prioridades. "Mas buscad primero el reino de Dios y su justicia" —dijo—, y todas estas cosas os serán añadidas".

Aquel día, a la orilla del lago Tiberias, muchos lo abandonaron porque no lo comprendieron. Hoy, muchos no lo aceptan porque tampoco lo comprenden. "Vino a lo que era suyo —dijo Juan—, y los suyos no lo recibieron, pero a todos los que lo recibieron, les dio el derecho de ser llamados hijos de Dios" (S. Juan 1:11-12, versión Nueva Reina Valera 1990).

Cuando visité Jerusalén, mi corazón se entristeció al ver el muro de los lamentos. Centenas de personas sinceras lloraban la gloria perdida del templo de Salomón. Es una gloria material que se fue y nunca más volverá. La verdadera gloria de Dios vino en la persona de Jesús. Fue un simple niño que discutió con los doctores de la ley de aquel templo. "A nuestro parecer carecía de todo atractivo, nada tenía que nos hiciera desearlo" (Isaías 53:2, La Biblia al Día), afirma Isaías, y por eso fue rechazado y despreciado por su propio pueblo.

Colocando mis manos en aquellos muros, pensé con dolor en los millones de personas que no logran comprender que la vida es más que simplemente comer y beber. Imaginé los hogares destruidos porque falta la columna vertebral que es Cristo. Pensé en los millares de jóvenes que deambulan alucinados en la búsqueda desesperada de la satisfacción de los sentidos.

Jesús está a su lado y no logran darle el primer lugar. Creen, pero no lo siguen ni se comprometen. Si Jesús viniese hoy y preguntase: "¿Tienes tú también algo que darme?" ¿Cuál sería tu respuesta?

Capítulo 11

EN MEDIO DE LA INCREDULIDAD

*U*na de las características fascinantes del Evangelio de Juan es que presenta muchas historias de vidas transformadas por Jesús. Son vidas de personas simples, con las cuales podemos identificarnos fácilmente.

Si lees cuidadosamente los cuatro Evangelios te darás cuenta que algunos personajes bíblicos como Natanael, Felipe, Andrés, Nicodemo y Tomás, no son mencionados por Mateo, Marcos y Lucas. Juan fue el único que se tomó el trabajo de hablar un poco sobre esas personas. Tal vez, porque la vida de ellos no fue tan impresionante, pero Juan es así. Siempre da detalles que los otros evangelistas no presentan.

Analicemos, por ejemplo, el caso de Natanael y veamos cómo es posible ver a Jesús en medio de la incredulidad. La historia del encuentro entre Jesús y Natanael es una historia en tres capítulos. En el primer capítulo Felipe encuentra a Natanael y dice: "Hemos hallado a aquel de quien escribió

Moisés en la ley, así como los profetas: a Jesús, el hijo de José, de Nazaret" (S. Juan 1:45).

¿Sabes? Israel había esperado durante siglos la venida del Mesías. Su llegada significaba la libertad, la resurrección de los sueños destruidos y la concreción de la esperanza tanto para Israel como para Natanael. Fueron años de opresión política que habían llevado al pueblo de Israel casi a perder las esperanzas. Y de repente todo parece cobrar vida nuevamente.

"Hemos hallado a aquel de quien escribió Moisés". En otras palabras: No debes seguir pasando por la vida sin esperanza. Nadie más podrá humillarte. El sufrimiento, el dolor y el vacío del corazón; todo llegó a su fin porque hemos hallado al Mesías.

Esta es la invitación a una nueva experiencia. Salir de la muerte a la vida, de las tinieblas a la luz, de la tristeza a la alegría. Y presta atención, la invitación no viene directamente de Jesús a Natanael. Dios usa un instrumento llamado Felipe, para llevar esperanza a un corazón angustiado.

Esta es una de las verdades contundentes del cristianismo. Dios siempre usa seres humanos. Primero tienes un encuentro personal con Cristo, tu vida cambia y entonces comienzas a buscar a otras personas para contarles las maravillas que Jesús operó en tu vida. ¿Quién diría que aquel día, el testimonio del fiel Felipe, llevaría la noticia de la llegada del Mesías a todo Israel? ¿Y qué hubiera sido de Natanael si Felipe hubiese sentido miedo de hablar o si hubiese estado tan ocupado con otras cosas, que no hubiera tenido el tiempo necesario para buscar a su amigo y hablarle de Jesús?

¿Sentiste que este mensaje edificó tu vida? ¿Sentiste que llevó consuelo, ánimo y esperanza a tu corazón? Entonces te pregunto: ¿Qué harás para que otras personas sean edificadas también?

La narración bíblica afirma que al principio Natanael no recibió la noticia con alegría, sino que reaccionó con escepticismo, prejuicio e incredulidad.

"¿De Nazaret puede salir algo de bueno?" (S. Juan 1:46). Nazaret era una villa insignificante en Galilea. Ni siquiera es mencionada en el Antiguo Testamento, ni en los escritos del historiador Flavio Josefo, ni de cualquier otro rabino judío. ¿Cómo podría venir el Mesías de una ciudad tan insignificante? ¡Ah, mi amigo! Esta no es la primera ni la última vez que alguien condena a Jesús por no entender correctamente su origen. En realidad, Jesús no venía de Nazaret, ni de Belén, El venía del cielo (S. Juan 3:31), existía desde toda la eternidad con Dios y con el Espíritu Santo.

Si aún no has entendido esto, tu concepto de salvación, estará siempre limitado. Jesús no fue un ser creado, no fue un revolucionario social que murió por causa de su osadía. El es un Dios vivo, encarnado en la persona de Jesucristo y crucificado para salvar al ser humano.

Pero tanto Felipe como Natanael no fueron capaces de mirar más allá de Nazaret. La realidad terrena los esclavizaba a superficialidades y en el caso de Natanael, se convertía en prejuicio al decir: "¿De Nazaret puede salir algo de bueno?" El prejuicio es siempre así. Te amarra al lugar donde naciste. Vive preocupado por si naciste en La Paz, Sao Paulo o Nueva York. No te ve a ti, mira solamente el color de tu piel o tu escalafón social. Te amarra al pasado y nunca te permite ser lo que por la gracia de Dios podrías llegar a ser.

El prejuicio es tan vil e insidioso que no perjudica solamente a la víctima, sino que envenena también la vida del que prejuzga.

Imagina solamente lo que Natanael hubiera perdido si Felipe no hubiese insistido. Su vida habría continuado siendo una vida de pruebas, angustia y desesperación.

Veamos ahora cómo Felipe manejó el prejuicio y la incredulidad de Natanael. Felipe no discutió ni argumentó, ni racionalizó. Apenas hizo lo que aprendió de su Maestro. El dijo: "Ven y ve". Este es el mayor argumento a favor del cristianismo. Discusiones teológicas bien elaboradas pueden no pasar de ser discusiones vacías. "Ven y ve" es el Evangelio que sale del papel y se convierte en vida. Es la teoría hecha práctica, el argumento como un hecho y ante los hechos, tú sabes, no hay argumentos. La incredulidad de Natanael se derritió delante del contundente hecho.

En este cambio de milenio es urgente que la teoría del cristianismo se convierta en vida, es imperativo que el Evangelio pase de las hojas de los libros a la experiencia diaria de cada cristiano.

El llamado de Natanael nos enseña también la gran lección de que Jesús nunca buscó personas sin dudas, interrogantes o cuestionamientos, por lo tanto, si estás escéptico, tú eres una de las personas que Jesús está buscando.

En la historia bíblica del encuentro de Jesús con Natanael, encontramos la bendición prometida al hombre que abre el corazón, porque cuando Jesús llama, bendice. Quita lo que está sobrando y aumenta lo que está faltando. Jesús nunca llama a un hijo para dejarlo abandonado por ahí.

Un día llamó a Abrahán para salir de su tierra rumbo a la tierra que el Señor le mostraría, pero al mismo tiempo lo bendijo en todas las áreas de su vida. En otra ocasión llamó a Josué y le dijo: "No temas, porque yo iré contigo". Por lo tanto, al ser llamado para formar parte del pueblo de Dios no serás abandonado ni desamparado.

El texto bíblico afirma que "Cuando Jesús vio a Natanael que se le acercaba, dijo de él: He aquí un verdadero israelita, en quien no hay engaño" (S. Juan 1:47). Es interesante notar que Jesús vio venir a Natanael. Esta es la figura del Padre que vio al hijo pródigo aproximarse, inmundo y oliendo a cerdo. Este es el padre que nunca pierde las esperanzas y que siempre espera. A veces endurecemos el corazón, huimos de Dios y hasta negamos su existencia, pero el Padre está allí, con los ojos fijos en el camino, sabiendo que un día su hijo volverá.

Jesús dijo: "He aquí un verdadero israelita". Para entender esto, necesitamos sacar luz del Antiguo Testamento. El primer israelita fue Jacob, a quien Dios le cambió el nombre después. El nombre Jacob quería decir: usurpador, engañador, mentiroso, falso. Pero a diferencia de Jacob, Jesús no vio "fingimiento" en Natanael, su pasado estaba totalmente borrado. Sus raíces olvidadas. Su historia comenzó de nuevo. Esta es una de las cosas maravillosas que tiene el Evangelio. No importa quién eres, ni cómo viviste cuando no conocías a Cristo. Tu vida comienza cuando entregas tu corazón a Jesús. ¿Comprendes? En ese mismo momento, tu pasado puede ser borrado por la gracia de Cristo.

Pero la salvación no tiene que ver únicamente con el perdón de los pecados pasados, tiene que ver también con nuestro futuro. Cuando Jesús dijo: "He aquí un verdadero israelita, en el cual no hay engaño", no estaba sólo reconociendo lo que Natanael era, un ser humano perdonado, sino también describiendo lo que por la gracia de Dios podía llegar a ser. En otras palabras, Jesús estaba diciendo: "Natanael, tú eres un hombre incrédulo, lleno de prejuicios, pero que me abrió el corazón. Pues bien, ahora que me aceptaste como Salvador y Señor de tu vida, crecerás y llegará un momento cuando tu carácter será semejante al mío". ¿No es maravilloso? Esta es la mayor bendición que el ser humano puede recibir.

Delante de todo ese cuadro, Natanael quedó perplejo y preguntó: "¿De dónde me conoces? Respondió Jesús y le dijo: Antes que Felipe te llamara, cuando estabas debajo de la higuera, te vi" (S. Juan 1:48).

En realidad, Dios vio a Natanael aún antes de que él naciera, desde el vientre de la madre. Dios conoce todo. A veces, cuando las sombras de esta vida te envuelven, cuando todo parece salir mal y te sientes solo, la tendencia humana te lleva a pensar: "Dios me abandonó, se olvidó de mí, no le importa lo que me pasa". Pero eso no es verdad. Dios te conoce desde el momento de tu concepción y lo mejor de todo es que tiene un plan extraordinario para tu vida.

Pero sí necesitas caer a los pies de Jesús como Natanael y exclamar: "Rabí, tú eres el Hijo de Dios; tú eres el Rey de Israel" (S. Juan 1:49). Nota que estos dos conceptos van juntos: Hijo de Dios y Rey. Mientras aquel hombre incrédulo y prejuicioso no reconocía a Jesús como el Hijo de Dios, ¿por qué habría de adorarlo? En el momento en que reconoció la naturaleza divina del Hijo, inmediatamente lo aceptó también como Rey.

Los seres humanos de nuestros días prefieren dioses de barro, descartables y manejables en lugar de un Dios divino, a quien tengan que someterse como a un gran Rey, Creador del cielo y de la tierra. El origen divino de Jesús, lo coloca encima de todos los dioses intermediarios que a veces intentamos buscar. Puede que adorar un pequeño dios apenas nos requiera encenderle una vela. Adorar al Dios eterno requiere someter nuestra voluntad a él y servirlo.

La historia de Natanael finaliza con una promesa de Jesús. "¿Porque te dije, te vi debajo de la higuera, crees? Cosas mayores que éstas verás" (S. Juan 1:50). Aquí Jesús está presentando no sólo una, sino un mundo ilimitado de promesas; "cosas mayores". O sea, el cristiano nunca alcanza lo suficiente. Jesús siempre tiene cosas mayores. "Cosas que ojo no vio, ni oído oyó", inefables, indescriptibles. Este es el principio del crecimiento interminable de la vida del cristiano.

Después Jesús agrega: "De cierto, de cierto os digo:

De aquí adelante veréis el cielo abierto, y a los ángeles de Dios que suben y descienden sobre el Hijo del hombre" (S. Juan 1:51).

¡Promesas! ¡Ah, promesas! El ser humano siempre está reclamando las promesas divinas. Lástima que estamos siempre limitando las promesas de Dios a la salud, al dinero y al amor. Pero Jesús presenta aquí la mayor de todas: "ángeles de Dios que suben y descienden sobre el Hijo del hombre". Jesús es la escalera al cielo. "Nadie viene al Padre, sino por mí" (S. Juan 14:6), afirmó. En él todas las angustias humanas desaparecen. En él la historia del pecado llega a su fin. En él renacen las esperanzas y resucitan los sueños. El es la promesa que se hizo realidad y habitó entre nosotros.

¡Qué gran día fue aquel para Natanael! De mañana no era más que un hombre escéptico y prejuiciado, vacío, desanimado y sin perspectivas futuras. Pero Jesús lo buscó a través de Felipe, lo encontró, tocó su vida, lo invitó, lo bendijo y le mostró la promesa. Natanael cayó a los pies de Jesús y lo reconoció como Dios y Rey, y a partir de allí, nuevos horizontes se abrieron para el joven israelita.

¿Estás tú, como Natanael, buscando un sentido a tu vida? ¿Te has confundido por la multiplicidad de "fórmulas mágicas" que la gente presenta como posibles soluciones para los problemas de la vida al punto de endurecer tu corazón y caer en el prejuicio y en la incredulidad? ¿Tu mente se niega a aceptar? ¿Tus dudas, interrogantes y cuestionamientos son cual piedras que dificultan el camino hacia Jesús? Clama por ayuda, allí donde estás. Dios te oirá, porque la historia de Natanael nos prueba que es posible ver a Jesús aún en medio de la incredulidad.

Capítulo 12

CUANDO PARECE QUE EL DIABLO VENCIÓ

Aún lo recuerdo con aquella chaqueta de cuero y esa expresión de fracaso en la mirada. Sostenía el rostro entre las manos y parecía rumiar cada palabra.

"¡No puedo, créeme, no puedo! ¡Ojalá no hubiese empezado nunca!" Aquellas últimas palabras quedaron grabadas en mi corazón con letras de fuego: "¡Ojalá no hubiese empezado nunca!" Era la expresión del fracaso. El grito desesperado de la impotencia, el reconocimiento de saberse incapaz de vencer el vicio.

Los recuerdos me llevaron entonces al pasado cuando ambos jugábamos al fútbol, y al cerrar los ojos pude ver su figura esbelta, sus ojos inquietos y su sonrisa de triunfo que desafiaba al mundo y a la vida. Ahora todo eso era historia. Estaba allí, ante mí, con su chaqueta de cuero y aquella expresión de fracaso en los ojos.

Cuando aún era un adolescente comenzó a jugar con ese vicio. Al principio no era nada serio, sólo "una tontería

que cualquier joven puede cometer". "Al fin de cuentas
—decía— uno necesita experimentar de todo para saber".
Pero la tontería comenzó a repetirse con frecuencia y entonces continuó argumentando: "El día que decida, lo dejo".
Un tiempo después, comenzó a sentir los estragos del vicio.
Comprendió que si no se detenía pronto, sería demasiado
tarde. Era como si manejase un vehículo a 120 km por hora
y de repente viese un abismo a 50 metros, y al pisar el freno
con desesperación comprobara que no responde.

San Marcos narra la experiencia de otro joven con una
historia parecida. Está registrada de este modo: "Vinieron
al otro lado del mar, a la región de los gadarenos. Y cuando
salió de la barca, enseguida vino a su encuentro, de los
sepulcros, un hombre con un espíritu inmundo, que tenía
su morada en los sepulcros, y nadie podía atarle, ni aun
con cadenas" (S. Marcos 5:1-3).

¿Cómo había caído este joven en las garras del enemigo?
Nadie llega al fondo del pozo de un momento a otro. Siempre existe una "primera vez" que al repetirse constantemente
se convierte en un estilo de vida.

El diablo es un enemigo con el cual no se puede jugar.
Se aproxima furtivamente y con seducción trayendo el
veneno amargo de la destrucción. Cuántas vidas arruinadas
existen, cuántos sueños destruidos, cuántos planes acabados
por un minuto de curiosidad, por una "primera vez" que
podría haberse evitado. "¿Cómo sabré si es malo para mí si
nunca experimenté?", argumenta el joven como si aquella
disculpa fuese la expresión de una mente privilegiada, que
si encontrase una botella con el diseño de una calavera y la
frase: "Peligro, veneno", con seguridad no la tocaría. Los
seres humanos somos incoherentes. Jugamos con la copa
de cristal que es nuestra vida aparentando ignorar que en
cualquier momento puede convertirse en un montón de
vidrio quebrado e irrecuperable.

El otro día me habló un padre muy afligido. Su hijo padecía manifestaciones de posesión demoníaca. Perdía la consciencia, gritaba como una fiera, se lastimaba y hablaba con una voz horrible. ¿Cómo se llega a ese punto? Después el padre continuó la historia: "Le gustaba ver películas de terror y satanismo", afirmó. Claro, sin querer y hasta sin saber, el joven fue entrando en el terreno del enemigo y ahora luchaba para liberarse y no podía.

Condenado a muerte por el SIDA, otro joven me decía: "Nunca pensé tener este fin, pastor, probé la droga por primera vez sabiendo el riesgo que corría, solamente por la insistencia de mis amigos. No quería aislarme del grupo ni quería parecer beato". ¿Amigos? ¿Pueden los amigos llevarte a la destrucción? Y hoy, en la hora del dolor y la angustia, ¿dónde están tus amigos? ¿Puede su insistencia sacarte del lecho de muerte?

El joven de la historia bíblica, como tantos otros jóvenes de nuestros días, después de jugar con el pecado, se encontró un día completamente esclavizado por el poder del enemigo de tal modo que "nadie podía atarle, ni aun con cadenas; porque muchas veces había sido atado con grillos y cadenas, mas las cadenas habían sido hechas pedazos por él, y desmenuzados los grillos; y nadie le podía dominar" (S. Marcos 5:3-4).

En el mes de agosto de 1998 fue capturado en Brasil el "maníaco del parque", un asesino en serie que acabó con la vida de 11 mujeres después de violarlas. En las entrevistas que los periodistas le hicieron, dijo: "Había dentro de mí una persona extraña que hacía todas esas cosas. De repente comenzaba a transpirar, la cabeza me dolía y aparecía el hombre malo y perverso que hacía todas esas cosas horribles".

La justicia brasileña está intentando descubrir si aquel hombre sufría de algún desequilibrio psicológico para poder juzgarlo, pero lo que más impresiona es saber que cuando el "hombre perverso" se despertaba dentro de él, nadie podía controlarlo.

Naturalmente tú y yo estamos lejos de ser asesinos en serie pero, ¿no es extraño saber que a veces hacemos cosas que nos hubiese gustado no hacer? ¿No luchamos a veces con todas nuestras fuerzas para luego descubrir que fuimos derrotados?

Una madrugada me despertó el timbre de la puerta de mi casa. Soñoliento miré por la ventana y vi la figura desesperada de un joven viciado en drogas. Transpiraba, temblaba y lloraba. "Pastor —dijo— acabo de deambular con la motocicleta por las calles de la ciudad en busca de droga; no tengo fuerzas para decir que no; sé que estoy acabando con mi vida; soy consciente de que estoy arruinando la vida de mi esposa y de mi hijo, pero no puedo, la maldita droga es más fuerte que yo, por favor ayúdeme, haga algo por mí".

¡Qué dramática situación! Una joven vida autodestruyéndose. Cuando estaba tranquilo prometía mil veces que no lo haría de nuevo, pero de repente se despertaba el monstruo adormecido en su interior y nadie podía detenerlo.

¿Alguna vez te sentiste cansado de luchar? ¿Ya prometiste mil veces que aquella sería la última vez y de repente te sentiste dominado por el monstruo que despierta en las cámaras del corazón?

El joven de la historia bíblica "siempre, de día y de noche, andaba dando voces en los montes y en los sepulcros, e hiriéndose con piedras" (S. Marcos 5:5).

¿Puede haber un cuadro más elocuente para retratar la situación de una pobre vida esclavizada por el mal? Los sepulcros son símbolos de muerte. Es en los sepulcros donde los muertos reposan, y aquel joven dormía y andaba por allí. Vivía, pero estaba muerto. O sea, sobrevivía, simplemente vegetaba. Nunca puede haber vida lejos de Jesús. El poder, el dinero, la fama y toda la gloria que el mundo puede ofrecer sólo trae la frialdad del sepulcro, si no estás con Cristo. El sepulcro puede tener la lápida mejor trabajada del mundo, en un mármol liso y de aspecto deslumbrante, pero detrás de aquella fachada maravillosa está la putrefacción de la carne, la crueldad de la muerte y la ausencia de la vida.

Los montes son símbolos de soledad. Cuando quieres estar solo, generalmente subes al monte. El pecado, por algún motivo te convierte en un solitario, lleno de temores y miedos. Los fantasmas de tu propia conciencia te afligen de día y de noche. Puedes estar rodeado de amigos y parientes pero continúas siendo un hombre solitario. Te encierras en ti mismo por temor a ser descubierto. Y con esa actitud sufres, porque el ser humano es un ser social.

Cuando Dios creó al hombre dijo en su corazón: " No es bueno que el hombre esté solo". No fue bueno entonces, no es bueno hoy, ni lo será jamás. La soledad en la que el ser humano parece querer sumergirse completamente es la vía de escape que encuentra para huir de su situación pecaminosa. "Pero, ¿de qué soledad me habla si veo a la mayoría de las personas participando de banquetes, fiestas y picnics?", puedes argumentar. Y es verdad. Los bares y clubes de las ciudades están siempre abarrotados de gente. Observa a las personas. Parece que hablan sin parar. ¿De qué hablan? ¿Cuál es el tema de conversación? ¿Superficialidades? Y por doloroso que parezca, caemos también en ese "hagamos de cuenta que todo está bien". Pero en el fondo, vivimos escondiéndonos, subimos y bajamos nuestras montañas y vagamos en busca del verdadero sentido de la vida.

Marilyn Monroe en los Estados Unidos y Ellis Regina en Brasil, fueron dos estrellas del arte escénico, que rodeadas de amigos y admiradores, murieron consumidas por su propia soledad. No es este el tipo de soledad que eliges para encontrarte con Dios, como hacía Jesús que "despidiendo a la multitud subía al monte para orar y al atardecer estaba solo". No. La soledad del pecado es algo que no escoges. Está simplemente ahí. Es abrumadora, incontrolable y cruel.

Pero el relato bíblico cuenta que un día Jesús llegó a aquellas tierras. Y Jesús, tú sabes, cambia todo. Jesús marcó el fin del capítulo triste de aquella vida y el inicio de una página en blanco. Gracias a Cristo fueron clavadas en la cruz nuestras angustias y tristezas. El murió solo para que nosotros vivamos disfrutando de su gloriosa compañía. El es el fin de una vida solitaria.

En estos días de oscuridad y de tinieblas espirituales, en esta época de traición, desconfianza y soledad, ¿por qué no mirar a Jesús como la única esperanza? Él es el Amigo que nunca falla, el Hermano que comprende y el Salvador que perdona. Es hora de verlo con sus brazos abiertos en forma de cruz, esperando el regreso del hijo perdido. Es hora de contemplar sus ojos de amor dispuestos a conceder una nueva oportunidad.

Las tierras de Gadara fueron sacudidas con la presencia de Jesús. El texto bíblico dice que el joven endemoniado, al sentir la presencia del Maestro, corrió y postrado clamó: "¿Qué tienes conmigo, Jesús, Hijo del Dios Altísimo?" (S. Marcos 5:7). Esta es la típica reacción humana delante de la presencia perturbadora de Cristo. "No me tortures". "No me atormentes". Aquel hombre ya estaba acostumbrado a las persecuciones y bromas de mal gusto que le hacían. Al final de cuentas era considerado un loco, y tratado como tal. Todos los jóvenes de la ciudad le tiraban piedras y luego corrían. Pero la tortura de Jesús era diferente. Era la tortura del amor. El amor que duele pero que, por ser amor, cura. El amor que aflige pero que, por ser divino, limpia.

En mis horas de meditación personal he descubierto que la presencia de Jesús también me perturba. Existe algo en todos nosotros que grita: "¿Qué tienes conmigo Jesús, Hijo del Altísimo?" Pero, ¿por qué su presencia suave y tierna perturba al ser humano?

Por dos motivos. En primer lugar, la presencia de Jesús nos hace conscientes de nuestra miseria, y a nadie le gusta ver su realidad. Vivimos en días cuando la moda es leer libros de auto-ayuda que básicamente enseñan que existe dentro del ser humano algo bueno que debe desarrollarse. Este tipo de mensaje agrada al ego del ser humano. "Soy capaz" —se dice a sí mismo—. Sólo necesito aprovechar la energía que existe dentro de mí". Y de ese modo, pasamos por la vida engañando a los otros e intentando engañarnos a nosotros mismos y, a veces, repetimos tanto estos conceptos que comenzamos a creerlos. Pero algo sucede en el interior del corazón que no armoniza con nuestra mente. Da la impresión que dentro de nosotros habita un ser extraño capaz de las más horribles monstruosidades. Entonces viene Dios, y cuando él llega a nuestra vida, no hay cómo esconderse. El revela nuestros pensamientos más secretos y nuestras intenciones más íntimas y nos hace conscientes de nuestra insuficiencia y pequeñez.

Cuando era niño me consideraba el mejor jugador de fútbol de mi clase. Por lo menos, eso era lo que afirmaban mis compañeros. No podía faltar en ningún juego porque el equipo perdería sin mí. Inconscientemente comenzaba a pensar que era la mejor estrella de fútbol, hasta que al año siguiente llegó un compañero nuevo que jugaba mucho mejor que yo. Aquello me perturbó. Sentí rabia contra él. Estaba "robándome el show". No tenía ningún motivo para quererlo porque su presencia en el equipo revelaba cuán pobre era mi juego.

Cuántas veces en mis horas con Cristo veo que su

bondad revela mi maldad, su pureza muestra mi impureza y eso me desequilibra y me perturba. Pero así son las cosas con Jesús. Llega a la vida demoliendo las ruinas mal construidas de nuestra existencia, dispuesto a re-crearnos completamente. Por eso perturba.

Perturba también porque su presencia en nuestra vida amenaza con quitarnos las cosas que más nos gustan pero que nos están destruyendo. Esta es otra de las incoherencias del ser humano, y para ilustrarlo mejor, tal vez sea bueno recordar la forma como cazan a los monos pequeños en ciertos lugares de Africa. Muertos, nadie da nada por ellos. Los cazadores colocan nueces dentro de botellas cuya boca permite apenas la entrada de la mano del monito. Los monos logran con cierta dificultad colocar la mano dentro de la botella, pero cuando agarran la nuez, la mano aumenta de tamaño y no pueden huir. La solución del problema es simple: solamente soltar la nuez y huir. Pero estos animalitos quieren huir llevándose la fruta y eso les cuesta la libertad.

Por simple que parezca la ilustración, nuestra vida muchas veces es una reproducción de esta historia. Existen cosas que nos esclavizan y arruinan la vida. Pero nos gustan. Somos conscientes del mal que provocan en nuestra experiencia personal y en la vida de nuestros seres más queridos, pero existe en nuestro interior algo que se aferra a ellas y no quiere soltarlas, y entonces comenzamos a inventar disculpas y justificativos para nuestros actos.

Racionalizamos, relativizamos y argumentamos. Buscamos en la cultura de nuestros días o en los conceptos de la mayoría, el apoyo para nuestras ideas, y de repente empezamos a creer en nuestros argumentos... hasta que nos encontramos con Jesús. Allí acaban los argumentos, el racionalismo o el relativismo. Su presencia perturba porque él no discute. El es la esencia de la verdad absoluta. Mientras la cultura moderna enseña que la verdad es relativa, Jesús es absoluto y no necesita de argumentos para demostrarlo. Está ahí con su presencia arrasadora de argumentos y filosofías. El es el respeto en persona. Es la esencia de la libertad. No logras huir. Por eso tantas personas gritan desesperadamente, ¿qué tienes conmigo Jesús, Hijo del Altísimo?

Muchos dicen que no creen en Jesús o demoran en aceptarlo como el Señor y Salvador de sus vidas porque saben que no es posible servir a dos señores. Si quieres disfrutar de la paz y de la libertad que él ofrece, debes soltar la nuez, por más atractiva y fascinante que te parezca. Cuando él llega, perturba porque es una amenaza para las cosas erradas que acariciamos en la vida. Yo, en mi naturaleza humana, desearía que no me perturbase, que me dejase tranquilo con mis pequeños dioses. Al fin de cuentas no mato, no robo, no trafico con drogas. Pago todos mis impuestos y hasta ayudo a la gente necesitada. No necesito ser "fanático, ni radical, ni cuadrado". Existen pequeños dioses a los que me gusta servir, pero la presencia de Jesús me perturba sin decir nada y eso es incómodo para mi naturaleza humana. Tal vez por eso sea más cómodo mantener una relación a distancia y esporádica. Nada de compromiso. Un "hola" y "chao", es suficiente.

O mejor todavía, tal vez mantener una relación haciendo cosas: doctrina, iglesia, grupo musical, etc. Relacionarse con cosas no incluye compromiso. ¿Para qué un Dios personal? Basta un dios "energía". La energía se usa y se descarta. Las personas no. Ellas están ahí, perturbando con su presencia y con sus recuerdos. Exigiendo compromiso, en este mundo donde todo es circunstancial y transitorio.

Pero si la presencia de Jesús en la experiencia humana fuese sólo perturbadora, el Evangelio no pasaría de ser una filosofía humana. ¿De qué valdría concientizar al ser humano de su realidad terrena, pequeña y miserable? Allí está la diferencia entre todas las religiones y el cristianismo. Mientras que todas las religiones, de una u otra forma, enseñan que necesitas buscar a Dios porque eres pequeño, el cristianismo predica que es Dios quien te busca para suplir tu pequeñez y liberarte de la esclavitud, pues la presencia de Jesús es también libertadora.

Jesús te libera de tu pasado tenebroso. No importa cuán horrenda fue tu vida. ¿Tu pasado te condena? ¿Tienes noches de insomnio o pesadillas en tu vida por causa de los fantasmas del pasado que te atormentan? ¿No hay nada que puedas hacer para remediar las cosas de tu pasado? ¡Alégrate! Jesús murió en la cruz del Calvario para pagar el precio de tus errores y por su gracia maravillosa están perdonados tus pecados.

Pero la salvación no tiene que ver únicamente con tu pasado. También involucra el presente, y por eso la presencia de Jesús te libera de las cuerdas de esclavitud que atan tu vida. Jesús actúa hoy, en tu presente, en la persona del Espíritu Santo que llega a tu vida con poder para liberarte.

Cuando parece que el diablo venció, puedes creer en el poder libertador del Espíritu. No existe trazo de carácter o hábito pernicioso que no pueda ser vencido por el poder del Espíritu de Dios en tu vida.

He visto personas que durante años fueron pobres esclavas del pecado. Nadie creía que podrían ser libres algún día. Pero Jesús llegó a sus vidas. Esas personas abrieron el corazón a Jesús, recibieron el poder del Espíritu Santo y hoy son victoriosas.

Algunas personas me preguntan: "¿Por qué continúo sintiendo ganas de pecar si ya entregué mi vida completamente a Jesús?" Siempre respondo lo que la Biblia afirma: "Engañoso es el corazón más que todas las cosas, y perverso, quien lo conocerá?" (Jeremías 17:9). Esta es la naturaleza pecaminosa que acompañará al ser humano hasta el regreso de Cristo y aquí está la tercera dimensión de la presencia libertadora de Jesús. El abarca también el futuro cuando "esto mortal se revestirá de inmortalidad y esto corruptible, de incorruptible". Entonces sí, la obra de salvación que fue completada en el Calvario, habrá alcanzado a los que aceptaron a Cristo, en su pasado, presente y futuro.

Cuando vayamos al cielo quiero buscar al gadareno liberado por Cristo. Quiero presentarme ante él y abrazarlo. Cuando estemos en la tierra le diré: "prediqué muchas veces y hasta escribí acerca de tu experiencia. A veces, al contar tu historia, tuve que contener las lágrimas en el púlpito porque un día Jesús llegó también a mi vida y me liberó de mis traumas y complejos y me hizo creer en la libertad que trae la paz de Jesús al corazón".

En aquel día también me gustaría presentártelo. Pero para que eso suceda, necesitas abrir tu corazón a Jesús, ¡ahora! ¿Quieres hacerlo?

APÉNDICE

Las páginas de este libro han destilado esperanza, porque a pesar de mostrar al corazón humano como escenario de los dramas más desgarradores nos ha revelado la solución: ver a Jesús de Nazaret. Sólo en la palabra del divino Redentor sacia el alma su sed de paz y gozo. Nuestra reacción ante su llamado y nuestra actitud ante sus enseñanzas contenidas en la Santa Biblia determinarán nuestro destino final. A continuación le ofrecemos una lista resumida de dichas verdades para facilitar el estudio de estos temas tan importantes. Para más información escriba a nuestra dirección editorial, o visite la Iglesia Adventista más cercana.

16 VERDADES VITALES PARA LA FELICIDAD Y LA SALVACION

1. La inspiración de las Sagradas Escrituras, es fundamento de nuestra seguridad en materia religiosa, y convierte ese maravilloso libro en la norma suprema de nuestra fe y la pauta de nuestra vida. Ella es completa en sí misma, y no necesita ningún agregado, porque cuando San Pablo dice que "toda Escritura es inspirada por Dios", agrega también que es "útil para enseñar, para redargüir, para corregir, para instruir en justicia, a fin de que el hombre de Dios sea perfecto, enteramente preparado para toda buena obra" (2 Timoteo 3:16-17). El obedecer sus preceptos e identificarnos con ella, nos permitirá colocarnos a cubierto de todos los peligros y rechazar con éxito todos los ataques del enemigo, como lo hizo nuestro Señor cuando respondía a toda tentación con un "Escrito está" (S. Mateo 4).

2. Las tres Personas que componen la Divinidad son el Padre, el Hijo y el Espíritu Santo. Cada una de ellas es divina, y es una persona en sí, pero las tres constituyen una unidad perfecta que no encuentra símil alguno en la Tierra, de manera que piensan, planean y actúan en absoluta y perfecta consonancia (S. Mateo 28:19; S. Juan 17:21-22; 16:7, 13-14). El misterio de su cabal unidad, armonía e interdependencia, dentro de su individualidad como personas, nunca será abarcado en esta tierra por la mente finita del hombre, como un vaso no puede contener la mar.

3. Dios el creador de todo cuanto existe (Génesis 1). He aquí algunas de sus notables características:

Tiene vida en sí, porque es el autor de la vida. S. Juan 5:26

Es un Dios personal, y a la vez omnipresente. Salmo 139:7-12. Es Todopoderoso. S. Mateo 19:26

Aunque está en todas partes, el Creador está por encima y es diferente de la criatura, por ello la Biblia rechaza el error panteísta de hacer de los seres y las cosas parte de Dios. Romanos 1:21-23.

Dios es amor, y por esto dio por el hombre lo mejor que tenía, a su propio Hijo Jesucristo. 1 S. Juan 4:8-9; S. Juan 3:16.

Es justo, y a la vez lleno de misericordia y bondad. Salmo 129:4; Nehemías 9:31.

4. Jesucristo es el Hijo de Dios, el personaje central de las Escrituras, y la única y gran esperanza del hombre.

Es tan divino y eterno como Dios mismo. 1 S. Juan 5:20; S. Juan 1:1-3.

Tiene vida en sí mismo como el Padre. S. Juan 10:28; 5:26

Es el creador de todo cuanto existe, junto con el Padre. Hebreos 1:2; S. Juan 1:1-3.

Se hizo hombre, y vivió sometido a todas las pruebas y tentaciones de la humanidad. Filipenses 2:6-7; Hebreos 2:14, 16-18.

Pese a ello, mantuvo un carácter perfecto: nunca pecó. Hebreos 4:15. Ofreció voluntariamente su vida por la salvación de los hombres. Isaías 53; 1 S. Pedro 2:24.

Por su vida perfecta y su sacrificio expiatorio llegó a ser nuestro único Salvador. S. Juan 3:16; Hechos 4:12.

Es por ello nuestro Pontífice. Hebreos 8:1-6.

Es nuestro único intercesor ante Dios, nuestro único abogado ante el Padre. 1 Timoteo 2:5; 1 S. Juan 2:1.

5. El Espíritu Santo es la tercera Persona de la Divinidad.

Es enviado por Dios como representante del Padre y del Hijo. S. Juan 16:7; 14:26.

Gracias a su mediación, Dios puede morar en el corazón humano entrando en una relación personal con el hombre. Salmo 51:11; Romanos 8:9; 1 Corintios 2:11-12.

Es Quien convence al hombre de que ha pecado. S. Juan 16:8.

Es Quien opera el nuevo nacimiento. S. Juan 3:5-8; Tito 3:5.

Nos guía a toda verdad; es el único Maestro infalible. S. Juan 16:13; S. Mateo 10:19-20; S. Juan 14:26.

6. El hombre, creado por Dios, cayó en el pecado y fue redimido por Cristo.

El hombre fue creado a la imagen divina. Génesis 1:26-27.

Dios se proponía que viviera feliz en el Edén. Génesis 2:8-10.

Mediante la institución del hogar, debía fructificar y

multiplicarse para llenar la tierra de seres dichosos. Génesis 1:27-28 2:24.

Pero el pecado atrajo sobre los hombres la debilidad moral y la muerte. Romanos 3:23; 5:12; 6:23.

Aunque el hombre es impotente, Cristo le ofrece el triunfo sobre el mal. Jeremías 13:23; Romanos 7:24-25; 1 Corintios 15:27.

El sacrificio vicario de Cristo salva del pecado y otorga poder para vivir una vida nueva. 1 S. Pedro 2:24.

7. La justificación del hombre se produce por la fe en Cristo. Efesios 2:8-9; Romanos 3:28. Las obras que se hacen con el fin deliberado de ganar la salvación no tienen poder ni mérito alguno.

8. La conversión y la santificación siguen a la justificación. La justificación, que entraña el derecho a la salvación, se logra por la fe. Pero el hombre necesita luego una preparación para el cielo. Esta comienza con el nuevo nacimiento (S. Juan 3:1-8), que determina un cambio en la conducta y actuación del hombre (Efesios 4:22-32). Luego se va operando un perfeccionamiento del carácter o santificación. 1 Tesalonicenses 4:3.

9. La oración es el medio para comunicarse con Dios. Esta constituye el diálogo directo con la Divinidad, ante quien el cristiano puede abrir su corazón y expresarle en forma espontánea sus necesidades y aspiraciones. S. Mateo 6:6-13; 7:7-12; Santiago 5:16.

10. La ley de Dios, o Decálogo, es norma eterna de justicia.

Abarca los supremos principios de conducta y la suma del deber humano. Eclesiastés 12:13.

Es eterna e inmutable, porque es el reflejo del carácter de Dios. S. Mateo 5:17-19.

Es santa, justa y buena. Romanos 7:12.

Será el código en base al cual se hará el juicio. Santiago 2:10-12.

Señala el pecado y conduce a Jesús. Romanos 7:7; Santiago 1:22-25; Gálatas 3:24.

11. La observancia del verdadero día de reposo está claramente enseñada por un mandamiento de las Escrituras: "Acordarte has del día de reposo, para santificarlo: seis días trabajarás, y harás toda tu obra; mas el séptimo día será reposo para Jehová tu Dios; no hagas en él obra alguna, tú, ni tu hijo, ni tu hija, ni tu siervo, ni tu criada, ni tu bestia, ni tu extranjero que está dentro de tus puertas; porque en seis días hizo Jehová los cielos y la tierra, la mar y todas las cosas que en ellos hay, y reposó en el séptimo día; por tanto Jehová bendijo el día de reposo y lo santificó" (Exodo 20:8-11).

El sábado es el monumento recordativo de la creación de Dios. Exodo 20:11.

Durante los 40 años de peregrinación del pueblo hebreo por el desierto, Dios realizaba un doble milagro para hacer posible la fiel observancia del sábado. Exodo 16.

El ejemplo de Cristo en la observancia del sábado lo confirma como día sagrado. S. Juan 15:10; S. Lucas 4:16-21.

Fue observado por los santos apóstoles. Hechos 17:2; 18:1-4.

En todas las épocas hubo cristianos fieles que lo observaron, aunque fueran minoría, sin sumarse a la apostasía general.

En 1863 se formó una iglesia que resucitó esta perdida institución bíblica —la observancia del sábado como verdadero día de reposo—, que llegó a llamarse Iglesia Adventista del Séptimo Día.

La fidelidad a los mandamientos de Dios —inclusive

el cuarto— será la característica del verdadero pueblo de Dios del último tiempo. Apocalipsis 14:12.

De allí la promesa que Dios hace de darles parte en su eterno reino a los que no pisoteen el sábado, sino lo respeten y observen. Isaías 58:13-14.

12. Dios establece el deber religioso de cuidar la salud. Todo lo que favorece la salud se conforma al plan de Dios. 3 S. Juan 2.

Según la Biblia, el cuerpo es el templo de Dios. 1 Corintios 3:16-17; 6:19-20.

Por lo tanto todo lo que perjudique la salud, mancilla ese templo e impide la presencia de Dios en él.

Por ello, la religión de la Biblia elimina de los hábitos del hijo de Dios el uso del alcohol, el tabaco, las drogas, y todo alimento malsano, e impone a la vez la moderación en las cosas buenas.

Siendo que las leyes de la salud son tan sagradas como la ley moral de Dios, el llevar una vida higiénica, pura y exenta de vicios es parte integrante de la auténtica religión de Cristo.

13. La segunda venida de Jesús es inminente. Es ésta una de las enseñanzas que más veces se mencionan en las Escrituras.

Este suceso ha sido la esperanza milenaria de los patriarcas y profetas de la antigüedad. S. Judas 14; Job 19:23-26; Isaías 40:10; 25:8-9; Daniel 2:44.

Es la gran esperanza de los apóstoles. Tito 2:12-13; 2 S. Pedro 3:9-12; Apocalipsis 1:7.

El mismo Señor Jesucristo prometió volver. S. Juan 14:1-3.

Toda una multitud de profecías anuncian la inminencia de este suceso. S. Mateo 24; S. Lucas 21; Daniel 2:44; 7:13-14.

Ocurrirá en forma literal, visible y gloriosa. Hechos

1:10-11; S. Mateo 24:24-27; Apocalipsis 1:7.

Necesitamos una preparación espiritual para ese fausto acontecimiento. S. Lucas 21:34-36.

14. El estado inconsciente de los muertos y la imposibilidad de que se comuniquen con los vivos, constituye un elemento importante en el armonioso conjunto de verdades bíblicas.

En ocasión de la muerte los seres humanos entran en un estado de completa inconsciencia. Eclesiastés 9:5-6, 10; Job 14:10-14.

La resurrección de los justos se realiza en ocasión del regreso de Cristo. 1 Tesalonicenses 4:16-17.

La resurrección de los impíos ocurre mil años más tarde, para que sean juzgados y destruidos para siempre. Apocalipsis 20:5; Malaquías 4:1.

Los que hayan muerto en Jesús resucitarán con cuerpos incorruptibles e inmortales cuando vuelva Cristo, y los hijos de Dios fieles que estén vivos serán transformados sin ver la muerte. 1 Corintios 15:51-55; 1 Tesalonicenses 4:15-17.

15. La Santa Cena o Eucaristía es un rito sagrado meramente conmemorativo. El pan y el vino son meros símbolos del cuerpo y la sangre de Cristo, y no sufren ninguna transformación pues Jesús fue sacrificado una sola vez. 1 S. Pedro 3:18; Hebreos 9:28.

16. El bautismo por inmersión representa el nuevo nacimiento. Este santo rito de la iglesia, portal de entrada del cristiano en la confraternidad de los hermanos, representa la sepultura del hombre viejo en la tumba líquida y la resurrección del hombre nuevo para andar en nueva vida. Romanos 6:3-6. Cristo fue bautizado por inmersión. S. Mateo 3:13-17. Y así se practicó siempre esta ceremonia en la era apostólica; y así debe continuar efectuándose para no desvirtuar su hermoso simbolismo.